Leggere con piacere

Aristide B. Masella

Former Chairman, Department of Foreign Languages
James Monroe High School, New York City

Dedicated to serving

AMSCO

our nation's youth

When ordering this book, please specify:
either **R 170 P** *or* LEGGERE CON PIACERE

AMSCO SCHOOL PUBLICATIONS, INC.
315 Hudson Street   New York, N.Y. 10013

ISBN 0-87720-591-4

Printed in the United States of America

PREFACE

Leggere con piacere is intended for first-level students of Italian in junior high schools or high schools and also for first-term college students. Such broad use is possible because of the book's interest level and graded language.

Language gradation is attained by introducing, with few exceptions, only one grammatical structure in each chapter: the present tense of *essere*, the present tense of *avere*, the present tense of first-conjugation verbs, etc. The table of contents reveals the range and sequence of the structures, which are those generally included in a course of study for first-level students. The grammatical structure introduced in a chapter is summarized in an introductory section containing preparatory and reference material. Any structure used out of turn is explained through footnotes.

The interest level is attained through: (1) the characters, who are mostly teenagers but also include adults and some children; (2) the humor of the situations or of the language—the chapter titles themselves reveal some of the humor; and (3) animation through the use of spoken or conversational Italian.

All but four chapters are based on dialogues or playlets. This conversational approach permits an intensive use of first-person and second-person grammatical structures and the use of a natural, daily-speech type of language. Third-person forms are not neglected: they are used in most of the exercise materials and in four chapters of a descriptive nature dealing with the general characteristics of Italy as a country.

Each chapter begins with an introductory section of preparatory and reference material containing: (1) *Punto principale di grammatica*, in which a summary of the chapter's target grammatical structure is presented; (2) *I vocaboli*, which contains all the words used for the first time in that chapter; and (3) *Le espressioni*, which includes idiomatic expressions and usages met for the first time. Each playlet or conversation has a brief English introduction presenting the characters and the situation and offering preparation and motivation. The reading material is followed by a section called *Esercizi:* I. *Per la Comprensione*, II. *Per Imparare i Vocaboli*, and III. *Per Imparare la Grammatica*.

Comprehension is tested in various ways: (1) unscrambling word groups to form correct statements, (2) full-sentence questions requiring full-sentence answers, and (3) completion questions and multiple-choice questions. However, the most often-used method is that of unscrambling word groups to form sentences in conformity with the contents. This is a very effective way of avoiding "grammar problem solving," while attaining desired fixation of correct structures and word order.

The exercise material under *Per Imparare i Vocaboli* includes: (1) learning Italian words through other Italian words, that is, through derivatives, synonyms, antonyms, and definitions, (2) learning Italian words through English cognates, and (3) learning English words through Italian cognates.

The exercise material in *Per Imparare la Grammatica* is generally brief, lively, and pointed to the one grammatical structure introduced in the chapter. It affords some practice and provides a model for further exercises to be provided in class.

The text permits many other classroom activities beyond those provided by the *Esercizi*. The playlets can be learned by heart by various "casts of characters" to be presented in the classroom or for entertainment for larger or special audiences. Students can be guided into developing compositions on many of the numerous characters in the playlets, even those who appear only once.

Directions to the students and presentations of the grammatical structures are in Italian. When the terminology of the grammar summaries or the wording of the directions is new or strange to the students, however, such summaries and directions are followed by a parenthetical English version.

The author takes this opportunity to thank Miss Nivea Roman of Francis Lewis High School, New York City, for her careful reading of the manuscript, for her experimental use of the material, and for her advice resulting from the experience.

To Dr. Vincent Luciani, Professor Emeritus of the City College of The City University of New York and the author's former teacher and lasting friend, the author expresses his deep gratitude for Dr. Luciani's encouragement and his careful reading of the manuscript and galleys.

—A.B.M.

CONTENTS

Abbreviations

adj.	adjective	*m.*	masculine
adv.	adverb	*pl.*	plural
art.	article	*pol.*	polite
conj.	conjunction	*poss.*	possessive
def.	definite	*p.p.*	past participle
ecc.	*eccetera* (etc.)	*prep.*	preposition
Esp.	*Espressioni*	*pres.*	present
f.	feminine	*pron.*	pronoun
fam.	familiar	*sing.*	singular
fut.	future	*trans.*	translated

Accents

For words with accented final vowels, we have followed the model set in many present-day Italian publications: 1. A grave accent on the open *e*: *caffè*, *tè*; on the open *o*: *perciò*, *cominciò*, *porterò*; on the *a*: *città*, *qualità*. 2. An acute accent on the close *e*: *perché*, *benché*, *sé*; on the *i*: *cosí*, *sí*; on the *u*: *piú*, *giú*.

Stress

For most Italian words, the stress is on the next-to-the-last syllable or, as in this book, on the next-to-the-last vowel: *domani, sorella, Maria, genitore, alunno*. The stress, therefore, has not been indicated in such words, nor has it been indicated in words with accented last vowels: *quantità*.

When the stress falls on a vowel in any position other than the next-to-the-last, the stress has been indicated by means of a dot under the vowel: *cantano, essere, ridono, comprano, zucchero*.

In order to spare the student the problem of determining the nature or value of certain vowels, no distinction has been made and the stress has been indicated in such words as: (1) *cinque, comunque, qual, quel*; (2) *faccia, valigia, figlio*; (3) *signor, voler*.

Capitolo primo

Punti principali di grammatica

I pronomi personali ed il verbo **essere**, tempo presente. (The personal pronouns and the present tense of **essere** *to be*.)

Singolare		*Plurale*	
io sono I am		**noi siamo** we are	
tu sei	you (*fam.*) are	**voi siete**	you are
Lei è	you (*pol.*) are	**Loro sono**	you (*formal*) are
egli è **esso** **lui**	he is	**essi sono** **loro**	they (*m.*) are
ella è **essa** **lei**	she is	**esse sono** **loro**	they (*f.*) are
— **è**	it is (*impersonal*)		

Notare (Note)

1. **Esso** is generally used for *it* in referring to male animals and things which in Italian are masculine.
2. **Essa** is generally used for *it* in referring to female animals and things which in Italian are feminine.
3. **Ella** and **essa** are equivalent forms for *she*.
4. The form **lui** is often used for **egli** and the form **lei** for **essa** or **ella**, especially in conversational Italian or for emphasis.
5. The form **loro** is likewise used for **essi** and **esse** in conversational Italian or for emphasis.
6. The forms **Lei** for *you* (singular polite) and **Loro** for *you* (plural polite or formal) will be capitalized to distinguish them from the forms **lei** (*she*, *her*) and **loro** (*they*, *them*), as is done in other textbooks.

Il negativo (The negative): **Io non sono**, I am not; **tu non sei**, you are not; ecc. (etc.).

I vocaboli

gli altri the others
  ancora still, yet (*see Esp.—le Espressioni—below*)
l'aula the classroom
  che what (*see Esp.*)
  ci there (*see Esp.*)
  ciao hello, so long
la classe the class
il corso the course
  di, d' of (*see Esp.*)
  dove where
  due two
  e and
  finora up to now, till now
  gentile kind
  giovane young; **il giovane** the young man
  in in (*see Esp.*)
la lezione the lesson

  ma but
  molto very
  l'ora the hour, the time
  per for
il piacere the pleasure
  presto early
il professore the teacher, the professor
  questa this
  sí yes
la signorina the young lady, Miss
  solo only
uno studente a student (*m.*)
una studentessa a student (*f.*)
  tanto so
  tre three
  vecchio old
  vero true, real (*see Esp.*)

Le espressioni

ancora: **È ancora presto.** It is still early. **Non è ancora l'ora.** It is not yet time.

che: **Che piacere!** What a pleasure!

ci: **ci sono** there are; **c'è** there is

di: **il corso d'italiano** the Italian course

in: **Siamo in tre.** We are three. There are three of us.

vero: **Non è vero?** Isn't it so? Isn't it true?

Il giovane

A young lady goes to her Italian Literature class and finds only two other persons there—two young men. She speaks to the one standing near the desk.

La signorina: Ciao! È questa l'aula per il corso d'italiano?

Il giovane: Sí, signorina! Questa è l'aula.

La signorina: Ma siamo solo tre studenti! Ci sono altri, non è vero? Dove sono gli altri studenti?

Il giovane: Finora, voi siete in due, non in tre. Ma è presto ancora. Non è ancora l'ora per la lezione.

La signorina: Lei dice che[1] noi studenti siamo in due; ma, siamo in tre, sembra.[2]

Il giovane: No, signorina, voi[3] siete in due: Lei e lui.

La signorina: E Lei? Non è Lei uno studente di questa classe?

Il giovane: No, signorina, io sono il professore.

La signorina: Il professore! Ma Lei è tanto giovane!

Il giovane: Non sono vecchio, ma non sono tanto giovane.

La signorina: Che piacere essere una sua studentessa.[4]

Il giovane: Lei è molto gentile, signorina. Il piacere è mio.[5]

---

[1] you say that   [2] it seems   [3] Note the use of **voi**. Though he says **Lei** to the young lady, he uses **voi** in reference to two persons, avoiding the use of **Loro** which may be too formal.   [4] a student of yours   [5] mine

Esercizi

I. **Per la Comprensione.** Per ogni gruppo di parole, formare una proposizione grammaticalmente corretta e conforme al contenuto della lettura. (For each group of words, form a grammatically correct sentence in conformity with the content of the reading passage.)

1. questa / per / d'italiano / il corso / l'aula / è
2. in quest' / tre persone (persons) / aula / ci sono
3. solo / studenti / sono / due persone
4. è / una / il professore / persona
5. ancora / presto / è
6. ancora / l'ora / non è / la lezione / per
7. sembra (seems) / il professore / giovane / molto
8. vecchio / il professore / è / non
9. ma / molto giovane / non / è /egli
10. la signorina / gentile / è / molto
11. ella dice che (she says that) / del giovane professore / è un piacere / una studentessa / essere
12. egli dice / mio / il piacere / è

II. **Per Imparare i Vocaboli**

A. Completare ciascuna frase con un vocabolo collegato alla parola in corsivo (sia sinonimo, contrario, o derivato). Scegliere fra questi vocaboli: **altri, giovane, piacere, presto, studentessa.** (Complete each sentence with a word related to the italicized word, be it a synonym, antonym, or derivative. Choose from among these words: **altri, giovane, piacere, presto, studentessa.**)

Esempio (Sample): Egli non è *assente* (absent); è presente.

1. Lei non è *vecchio*; è ____ .
2. Non è *tardi* (late); è ____ .
3. Egli è uno *studente* ed ella è una ____ .
4. Non è un *disturbo* (bother); è un ____ .
5. *Noi* siamo presenti; ma dove sono gli ____ ?

B. Per ogni parola inglese, scegliere il vocabolo italiano. (Choose the Italian word for each English word.)

1. for: tre per due
2. of: che altri di (d')
3. only: vero solo ora

4. where: dove ancora presto
5. kind: giovane gentile vecchio
6. but: ma tanto questa
7. classroom: corso aula professore
8. early: piacere persona presto

III. Per Imparare la Grammatica. Completare le frasi seguenti con la forma conveniente del verbo **essere**, tempo presente. (Complete the following sentences with the suitable present tense form of the verb *to be*.)

A. essere to be   **in ritardo** late
    puntuale punctual   **a casa** at home

1. Io ＿＿＿ puntuale.
2. Sí, signorina, Lei ＿＿＿ sempre (always) puntuale.
3. Mario, tu ＿＿＿ sempre in ritardo, non ＿＿＿ vero?
4. Io ＿＿＿ spesso (often) in ritardo, ma non sempre.
5. Al contrario (on the contrary), noi ＿＿＿ sempre puntuali.
6. Sí, ＿＿＿ vero; voi non ＿＿＿ mai (never) in ritardo.
7. Ma dove ＿＿＿ gli altri?
8. Forse (perhaps) essi ＿＿＿ a casa.
9. Se (if) essi ＿＿＿ ancora a casa ＿＿＿ già (already) in ritardo.
10. Mario ed io non ＿＿＿ puntuali come (like) voi.

B. essere to be   **povero** poor
    ricco rich   **felice** happy

1. Ma io non ＿＿＿ ricco!
2. Ma certo (certainly) tu non ＿＿＿ povero.
3. Neanche (not even) Mario ＿＿＿ povero.
4. Voi non ＿＿＿ né (neither) ricchi né (nor) poveri.
5. ＿＿＿ vero; ma noi ＿＿＿ felici.
6. E Lei, signorina, ＿＿＿ Lei ricca e felice?
7. Io non ＿＿＿ ricca, ma ＿＿＿ felice.
8. Molte (many) persone ＿＿＿ povere.
9. Anche delle (even some) persone povere ＿＿＿ felici.
10. Ma non tutte (all) le persone povere ＿＿＿ felici.

Capitolo secondo

Punto principale di grammatica

Il verbo **avere**, tempo presente. (The verb *to have* in the present tense.)

Singolare		Plurale	
io **ho**	I have, do have	noi **abbiamo**	we have, do have
tu **hai**	you (*fam.*) have, do have	voi **avete**	you have, do have
Lei **ha**	you (*pol.*) have, do have	Loro **hanno**	you (*formal*) have, do have
egli **ha**	he has, does have	essi **hanno**	they (*m.*) have, do have
essa **ha**	she has, does have	esse **hanno**	they (*f.*) have, do have

In questo capitolo (In this chapter): **Io ho capito**, I have understood; **tu hai capito**, you have understood; ecc.

I vocaboli

abbastanza   enough, sufficient
l'**aiuto**   the help
alcune   some, a few
allegro   cheerful, merry
l'**amico**   the friend
andare   to go (*see Esp*. **a**)
il **biglietto**   the ticket
il **bisogno**   the need (*see Esp*. **avere**)
bravo   good, fine (*see Esp*.)
capito   understood
il **caso**   the case
che?   what?
chi?   who?
classico   classic, classical
cosí   so
il **denaro**   the money

eppoi   and then
l'**esempio**   the example
fare   to make, to do
finanziario   financial
forse   perhaps, maybe
generoso   generous
la **lira**:   Italian monetary unit
molto   much, a great deal (of)
necessario   necessary, needed
oggi   today
la **parola**   the word
la **partita**   the game
piccolo   small, little
piú   more (*see Esp*. **di**)
il **prestito**   the loan
pronto   ready (*see Esp*. **a**)

qualcuno someone	**spensierato** carefree
quello that	**lo stadio** the stadium
quindi therefore, then	**tutti** all, everyone, everybody
il significato the meaning	**vedere** to see

Le espressioni

a: (1) **andare a vedere** to go to see, to go and see
(2) **Sei pronto a fare il prestito?** Are you ready to make the loan?
avere: aver bisogno di to need, to have need of (The final -*e* of infinitives is dropped under certain circumstances.)
bravo: Bravo Martino! Good for Martin! Good for you, Martin!
di: di piú more; **alcune lire di piú** a few lire more

L'amico generoso

While walking along, all alone, thinking of the dull Sunday afternoon facing him, Gianni meets four of his friends who are on their way to see a soccer game.

Gianni: Dove andate[1] cosí allegri?
Gino: Allo[2] stadio, a[3] vedere la partita.
Gianni: E voi tutti cosí spensierati?
Gino: Perché non essere[4] spensierati?
Gianni: Significa[5] che voi tutti avete il denaro per il biglietto.
Pietro: Sí, noi tutti abbiamo il denaro necessario.
Paolo: E forse qualcuno ha piú del[6] denaro necessario.
Gianni: Chi? Chi?
Pietro: Io, per esempio, ho alcune lire di piú.
Paolo: Eppoi, c'è Martino; egli ha sempre molto denaro.
Martino: Paolo, parla[7] del denaro che[8] hai tu e non di quello che[8] hanno gli altri.
Gino: Noi abbiamo capito, Gianni.
Gianni: Voi avete capito! Che avete capito?
Gino: Abbiamo capito che[9] anche tu desideri[10] andare allo stadio, ma non hai il denaro per il biglietto.
Gianni: Io ho del[11] denaro, ma non abbastanza.

Pietro: Abbiamo un caso classico—abbiamo il caso di un amico che ha bisogno d'aiuto.

Paolo: Sí, ha bisogno d'aiuto finanziario.

Gianni: È vero; ho bisogno d'un piccolo prestito.

Gino, Pietro, Paolo: (*Guardano*[12] *Martino*) Quindi. . . ?

Martino: Ho capito. Ho capito il significato delle[13] parole AIUTO, BISOGNO, AMICO.

Gli altri: Che significato?

Martino: Il significato è "Al bisogno si conosce l'amico."[14]

Gino: Quindi, Martino, sei pronto a fare il prestito?

Martino: Che prestito? Oggi pago io[15] il biglietto per Gianni.

Gli altri: Bravo Martino! Bravo l'amico generoso!

---

[1] are you going   [2] to the   [3] *not translated*   [4] why not be   [5] it means
[6] than the   [7] talk, speak (*command form*)   [8] which   [9] that   [10] even
you desire, even you wish   [11] some   [12] they look at, they watch
[13] of the   [14] "A friend in need is a friend indeed."   [15] I am paying.
(*The position of* **io** *makes* I *emphatic.*)

Esercizi

I. Per la Comprensione. Per ogni gruppo di parole, formare una proposizione grammaticalmente corretta e conforme al contenuto della lettura.

1. i compagni (companions) / allegri / di Gianni / sono
2. allo stadio / la partita / a vedere / essi vanno (they are going)
3. spensierati / essi sono / perché (because) / denaro / hanno / abbastanza
4. essi / necessario / il denaro / hanno / per il biglietto
5. forse / del denaro / piú / necessario / hanno
6. Pietro / lire / alcune / di piú / ha
7. sempre / Martino / denaro / molto / ha
8. anche Gianni / allo stadio / andare / desidera (desires)
9. ma / denaro / non ha / abbastanza / egli
10. finanziario / egli / d'aiuto / ha bisogno
11. oggi / il biglietto / Martino paga (pays) / per Gianni
12. generoso / l'amico / è / Martino

II. Per Imparare i Vocaboli

A. Completare ciascuna frase con un vocabolo collegato alla parola in corsivo (sia sinonimo, contrario, o derivato). Scegliere fra questi vocaboli: **abbastanza, amico, aiuto, oggi, piccolo, spensierati, tutti.**

1. Essi non hanno *pensieri* (worries); quindi sono ____ .
2. Gianni ha bisogno *d'assistenza*; sí, egli ha bisogno d' ____ .
3. Il denaro non è *sufficiente*; no, egli non ha denaro ____ .
4. Il prestito non è *grande* (big); è ____ .
5. *Questo giorno* (day) Gianni è fortunato; sí, ____ egli è fortunato.
6. Il *compagno* Martino è un vero ____ .
7. *Alcuni* amici sono ricchi; certo (certainly) non ____ sono ricchi.

B. Per ogni parola inglese, scegliere il vocabolo italiano.

1. cheerful: amico allegro allora
2. game: partita prestito allora
3. money: dove denaro eppoi
4. who?:   che? chi? come?
5. example: stadio quindi esempio
6. more: parola piú quello
7. so: cosí qualcuno fare
8. ticket: lira piccolo biglietto

III. Per Imparare la Grammatica. Completare le frasi seguenti con la forma conveniente del verbo **avere**, tempo presente.

avere to have	**molto denaro** much money
molti amici many friends	**molte buone qualità** many good qualities

1. Egli ____ molto denaro; quindi ____ molti amici.
2. Io ____ molti amici eppure (and yet) io non ____ molto denaro.
3. Tu ____ molti amici perché (because) tu ____ molte buone qualità.
4. Non solo le persone ricche ____ molti amici.
5. Voi non siete ricchi eppure voi ____ molti amici.
6. Forse anche (even) noi ____ alcune buone qualità.
7. E Lei? Perché (Why) ____ Lei molti amici?
8. Forse anch'io ____ alcune buone qualità.
9. Signori, Loro ____ tutto (everything): amici, denaro, e buone qualità.
10. Noi siamo felici perché ____ molti amici.

Capitolo terzo

Punto principale di grammatica

I verbi della prima coniugazione, tempo presente: **camminare** *to walk.*
(The present tense of first conjugation verbs.)

Singolare	*Plurale*
io **cammino** I walk	noi **camminiamo** we walk
tu **cammini** you (*fam.*) walk	voi **camminate** you walk
Lei **cammina** you (*pol.*) walk	Loro **camminano** you (*formal*) walk
egli **cammina** he walks	essi **camminano** they (*m.*) walk
essa **cammina** she walks	esse **camminano** they (*f.*) walk

Altri significati. **Io cammino** I do walk, I am walking, ecc.
Come **camminare** (in questo capitolo): **assicurare, cambiare, guidare,
insultare, parlare, rappresentare, scherzare, significare**

I vocaboli

adesso now
allora then
appunto precisely
assicurare to assure
bello beautiful (*see Esp.*)
bene well
cambiare to change
certo certainly, of course
come how
la **critica** the criticism
desiderare to desire, to wish
di of, about (*see Esp.*)
e, ed and
l'**eroina** the heroine
fare to do, to make
fortunato lucky, fortunate

il **fratello** the brother
guidare to drive (an auto)
la **macchina** the car, the machine
la **madre** the mother
male badly
meno less (*see Esp.*)
mio, mia my, mine
minorenne minor
il **mondo** the world
nuovo new
l'**opinione** the opinion
il **padre** the father
parlare to speak, to talk
perché because; **perché?** why?
il **pericolo** the danger, the hazard
però however, but

la popolazione the population	severa harsh, severe
il pubblico the public	significare to mean
rappresentare to represent	stradale: un pericolo stradale a
la riduzione the reduction	road hazard
scherzare to jest, to "kid"	il volante the steering wheel
seduta seated	

Le espressioni

bello: È bello aver l'automobile. It is lovely to have a car.
di: il padre di Gina Gina's father
meno: less; **Meno male!** Fortunately! It's a good thing!
per: per ora for the time being, at present

Il pericolo stradale

Gina's family has just acquired a new car. She is talking about it to her friend Tina. In the course of the conversation, Tina makes some remarks about dangerous drivers.

Tina: È bello aver l'automobile. Adesso anche voi avete la macchina. Una FIAT, non è vero?

Gina: Sí, una FIAT nuova nuova.[1]

Tina: Certo, non tutti voi guidate la macchina.

Gina: Mio padre e mio fratello guidano molto bene; però mia madre ed io non guidiamo.

Tina: Mi assicuri[2] che tu non guidi l'automobile?

Gina: Per ora non guido; sono ancora minorenne.

Tina: Meno male!

Gina: Meno male? Che significa questo "meno male"?

Tina: Significa che il pubblico è fortunato appunto perché tu non guidi la macchina.

Gina: Perché dici ciò?[3]

Tina: Perché tu, seduta al[4] volante di un'automobile, rappresenti un pericolo stradale.

Gina: Un pericolo stradale! Che critica severa! Perché parli così male di me?[5]

Tina: Allora, cambio opinione: tu, seduta al volante d'una macchina, rappresenti un'eroina.

Gina: Un'eroina! Che eroina?

Tina: L'eroina delle[6] persone che[7] desiderano la riduzione della[6] popolazione del[6] mondo.

Gina: Oh Tina! Perché m'insulti?[8]

Tina: Scherzo, Gina, io scherzo. Non desidero insultarti.[9] Parlo così per fare la spiritosa.[10]

---

[1] very new, brand new [2] do you assure me [3] Why do you say that? [4] at the [5] about me [6] of the [7] who [8] do you insult me [9] to insult you [10] (in order) to be witty

Esercizi

I. Per la Comprensione. Rispondere alle seguenti domande prima in italiano e poi in inglese, sempre con frasi complete. (Answer the following questions, first in Italian and then in English, always in complete sentences.)

1. Che ha adesso la famiglia di Gina?
2. Guida la macchina il padre di Gina?
3. Ed il fratello, guida egli la macchina?
4. Come guidano essi?
5. E Gina, guida ella l'automobile?
6. Perché non guida l'automobile Gina?
7. Chi parla male di Gina?
8. Secondo Tina (According to Tina) chi rappresenta un pericolo stradale?
9. È vero che Tina desidera insultare Gina?
10. Chi scherza?

II. Per Imparare i Vocaboli

A. Completare le frasi seguenti con un vocabolo collegato alla parola in corsivo, sia sinonimo, contrario, o derivato. Scegliere fra questi vocaboli: **bene, macchina, nuova, ora, padre.**

1. Essi hanno *l'automobile*; la ____ è una FIAT.
2. La *madre* non guida, ma il ____ sí.
3. Il fratello non guida *male*; egli guida ____ .
4. L'automobile non è *vecchia*; è ____ .
5. *Adesso* Gina non guida; sí per ____ ella non guida.

B. Scegliere la parola italiana per ogni parola inglese. (Choose the Italian word for each English word.)

1. certainly: molto tanto certo
2. of, about: ed di mio
3. why?:   chi? che? perché?
4. how: caso come cosí
5. danger: pronto parlare pericolo

III. Per Imparare la Grammatica

A. Completare le frasi seguenti con la forma conveniente del verbo **cantare** (*to sing*), tempo presente.

cantare bene to sing well   **male** badly
molto bene very well   **tanto male** so badly
cosí bene so well

1. Signorina, Lei ____ molto bene.
2. Purtroppo (Unfortunately) io non ____ sempre cosí bene.
3. Anche il tenore non ____ male.
4. Il tenore ed il basso ____ sempre bene.
5. E voi, ____ male o bene?
6. Noi non ____ né bene né male.
7. Tina e Gina non ____ tanto male.
8. Signori, Loro ____ molto bene.

B. Completare le frasi seguenti con la forma conveniente del verbo indicato, tempo presente.

guidare: 1. Signorina, ____ Lei l'automobile?
               2. Sí, io ____ la macchina molto bene.
camminare: 3. Voi ____ molto (a great deal)?
               4. No, noi non ____ molto.
desiderare: 5. Gianni, ____ tu andare allo stadio?
               6. Sí, io ____ andare con (with) voi.
significare: 7. Che ____ la parola "ciao"?
               8. La parola "ciao" ____ "hello" or "so long."
               9. Che ____ le parole "cosí bene"?
             10. Le parole "cosí bene" ____ "so well."
parlare: 11. Signori, ____ Loro italiano?
            12. Sí, noi ____ italiano ma non molto bene.

Capitolo quarto

Punti principali di grammatica

A. I verbi della seconda coniugazione, tempo presente: **mettere** *to put.*

Singolare	*Plurale*
io **metto**	noi **mettiamo**
tu **metti**	voi **mettete**
Lei **mette**	Loro **mettono**
ecc.	ecc.

Significati. Io metto I put, I do put, I am putting, ecc.
Come **mettere** (in questo capitolo): **alludere, ammettere, comprendere, credere, insistere, resistere, ridere, ripetere**

B. Gli articoli determinativi ed i nomi, genere e numero. (The definite articles and nouns, gender and number.)

Singolare (*m.*)		*Plurale* (*m.*)	
il compagno	**il** padre	**i** compagni	**i** padri
lo scherzo	**lo** studente	**gli** scherzi	**gli** studenti
lo zero	**lo** zappatore	**gli** zeri	**gli** zappatori
l'ombrello	**l'**attore	**gli** ombrelli	**gli** attori

(*f.*)		(*f.*)	
la compagna	**la** madre	**le** compagne	**le** madri
l'aula	**l'**attrice	**le** aule	**le** attrici

I vocaboli

a (ad) to, at (*see Esp.*)
alludere to allude, to refer
amare to love
ammettere to admit
aspettare to wait
barzelletta joke

citare to cite, to recite
compagno companion, comrade
comprendere to understand
con with
considerare to consider
credere to believe

dopo after, afterward
eppure and yet
insistere to insist
lento slow
male badly, bad; **il male** the evil
  (*see Esp.* **di**)
niente nothing
notato noted, noticed
nulla nothing
pensare to think
po' = poco little, little bit
  (*see Esp.*)

primo first; **il primo** the first one
proverbio proverb
resistere to resist, to hold back
ridere to laugh
ripetere to repeat
se if
strano strange
subito immediately, right away
ultimo last; **l'ultimo** the last one

Le espressioni

a: (1) **il primo a ridere** the first to laugh
    (2) **Insiste ad essere l'ultimo.** He insists upon being the last one.
di: nulla di male nothing wrong, nothing bad
po': È un po' strano. He is somewhat strange. He is a bit strange.

Ridere o non ridere?

In talking to Gianni, Gino expresses a few observations about their new
friend Martino, the generous friend of an earlier conversation in this book.

Gianni: Gino, che pensi del[1] nuovo compagno—Martino?
Gino: Martino è bravo e molto generoso, eppure egli mi
  sembra[2] un po' strano.
Gianni: Strano? Io non comprendo perché tu consideri
  Martino strano.
Gino: Tu non hai notato quanto[3] egli ama citare proverbi?
Gianni: Sí, ho notato che egli ama citare proverbi. Ma, non
  c'è nulla di male se egli sa[4] molti proverbi.
Gino: Certo; non c'è niente di male se cita molti proverbi.
  Ma lui si conforma[5] ai proverbi anche quando non com-
  prende il loro[6] significato.

Gianni: Adesso non comprendo io.[7] A che alludi?

Gino: Per esempio, se noi sentiamo[8] una barzelletta spiritosa, chi è il primo a ridere?[9]

Gianni: Ammetto che sono io il primo a ridere; ma subito dopo voi tutti ridete con me.

Gino: Sí, subito dopo ridiamo con te;[10] ma non Martino.

Gianni: Non ho notato se Martino ride o non ride con noi.[11]

Gino: Io insisto che lui non ride con noi.

Gianni: Ma perché? Forse non ride subito perché è lento a capire[12] le barzellette.

Gino: No, non è vero. Egli aspetta ed aspetta per essere l'ultimo a ridere. Egli resiste perché insiste a ridere dopo gli altri.

Gianni: Ma perché desidera essere l'ultimo a ridere?

Gino: Perché egli crede nel[13] proverbio "Ride bene chi ride l'ultimo."[14]

Gianni: Allora, significa[15] che lui non comprende il vero significato del proverbio.

Gino: Quindi, Gianni, anche tu vedi che Martino comprende bene le barzellette e che ride l'ultimo perché non comprende il vero significato del proverbio.

[1] of the   [2] he seems to me   [3] how much   [4] knows   [5] he complies with, he conforms to   [6] their   [7] (Io *is placed after the verb for emphasis.*)   [8] if we hear   [9] the first to laugh   [10] with you   [11] with us   [12] slow in understanding   [13] in the   [14] He who laughs last laughs best. (*Gino and Gianni regard this proverb as applicable in situations where one person laughs at the expense of another.*)   [15] it means

Esercizi

I. Per la Comprensione. Formare delle proposizioni conformi al contenuto della lettura.

1. è / Martino / un amico / e generoso / bravo
2. Martino / a Gino / strano / un po' / sembra
3. strano / Gianni / Martino / non considera
4. dice che (says that) / Gino / ama / Martino / proverbi / citare
5. Gianni dice che / nulla di male / non c'è / molti proverbi / cita / se Martino
6. Martino / di tutti i proverbi / il significato / non comprende
7. essi / sentire (to hear) / barzellette / amano / spiritose
8. Gianni / a ridere / sempre / il primo / è
9. subito dopo / con Gianni / ridono / gli altri
10. Martino però / ride / non / gli altri / con
11. forse / lento a comprendere / Martino / è / le barzellette
12. l'ultimo / Martino / a ridere / essere / desidera
13. crede che / Martino / ride bene / ride l'ultimo / chi
14. egli resiste / l'ultimo / per essere / a ridere
15. Martino / il vero / non comprende / significato / del proverbio

II. Per Imparare i Vocaboli

A. Completare ciascuna frase con un vocabolo collegato alla parola in corsivo, sia sinonimo, contrario, o derivato. Scegliere fra questi vocaboli: **comprendere, dopo, nulla, strano, ultimo.**

1. Non è *normale;* difatti (in fact) è ____ .
2. Egli non ride *prima* (before) degli altri; difatti ride sempre ____ gli altri.
3. Non è mai il *primo;* è sempre l'____ .
4. Forse è lento a ____ ; forse è lento di *comprensione.*
5. Non c'è *niente* di male se cita proverbi; no, non c'è ____ di male.

B. Per ogni parola inglese, scegliere la parola italiana.

1. to: per di a
2. if: e se ed
3. with: po' dopo con
4. immediately: subito esempio adesso
5. true: lento vero volante

III. Per Imparare la Grammatica. Completare le frasi con le forme convenienti del verbo **comprendere** o **ricevere**, tempo presente.

A. comprendere to understand   **il proverbio** the proverb
    la lettura the reading   **le parole** the words

1. ____ voi la lettura?
2. Sí, oggi noi ____ la lettura.
3. Sí, perché essi ____ tutte le parole.
4. E Lei, signorina, ____ la lettura?
5. No, perché io non ____ tutte le parole.
6. E tu, Martino, ____ il proverbio nuovo?
7. Io ____ tutti i proverbi.
8. Non è vero, egli non ____ tutti i proverbi.
9. Signori, certo Loro ____ il proverbio.
10. Sí, noi ____ il proverbio.

B. ricevere to receive   **cartoline** postcards
    lettere letters   **non . . . nulla** not anything, nothing

1. Gianni, ____ tu molte lettere?
2. Sono fortunato se io ____ una cartolina.
3. Ma Lei, signorina, ____ molte lettere.
4. Sí, io ____ le lettere da un ammiratore (from an admirer).
5. Il padre e la madre ____ lettere e cartoline.
6. Essi ____ molte lettere da Pietro e Paolo.
7. Anche voi ____ molte lettere?
8. No, noi non ____ nulla.
9. Quindi, voi non ____ né lettere né cartoline.
10. È vero, essi non ____ nulla.

Capitolo quinto

Punto principale di grammatica

Gli aggettivi: genere, numero, e concordanza. (Adjectives: gender, number, and agreement.)

Singolare
(m.)

il ragazzo biondo	il ragazzo gentile
il padre generoso	il padre gentile

(f.)

la ragazza bionda	la ragazza gentile
la madre generosa	la madre gentile

Plurale
(m.)

i ragazzi biondi	i ragazzi gentili
i padri generosi	i padri gentili

(f.)

le ragazze bionde	le ragazze gentili
le madri generose	le madri gentili

I vocaboli

albero tree
anche also
attivo active
biondo blond
bruno dark, brunet
buono good
caro dear
compagna companion
compreso including
corda rope
donna lady
gioco play, playing
giorno day (*see Esp.*)

grande big, large
irrequieto restless
là there
morto dead; **stanco morto** dead tired
nonna grandmother
nonno grandfather
ombra shade, shadow (*see Esp.* **a**)
palla ball (*see Esp.* **a**)
passare to pass (*see Esp.* **per**)
questo this, this matter
quieto quiet, calm, peaceful

21

ragazza girl
ragazzo boy
riposo rest
salto jump (*see Esp.* a)
signora Mrs., madam, lady
signore Mr., Sir, gentleman (*see Esp.*)

solito usual (*see Esp.* di)
specialmente especially
stanco tired, fatigued
tutti everyone, everybody, all
uomo man; (*pl.*) **gli uomini**
verità truth

Le espressioni

a: (1) **il gioco alla palla** playing ball
  (2) **il salto alla corda** jumping rope
  (3) **all'ombra** in the shade
arrivederci!: so long! (*literally*, till we see each other again) (*fam.*);
  arrivederla! so long! (*literally*, till I see you again) (*pol.*)
ci: Che c'è? What is wrong? What is the matter?
di: (1) **il nonno di Riccardo** Richard's grandfather
  (2) **di solito** usually
  (3) **piú stanco di me** more tired than I
giorno: buon giorno! good morning! good afternoon! good day!
signore: Signore! Sir! Mister!; **Signor Santori!** Mr. Santori!; **il signor Santori** Mr. Santori; **il signore** the gentleman

Il gioco ed il riposo

Prima Parte

> After playing ball for a few hours, some boys show signs of fatigue. One of them, Richard, does not readily admit that he is tired. His grandfather expresses a few thoughts about exercise and rest.

Riccardo ed i compagni sono seduti all'ombra di un albero. I compagni si chiamano[1] Roberto, Alberto, ed Antonio. Roberto è il ragazzo biondo. Il ragazzo bruno è Alberto. Antonio è il ragazzo grande. Passa per di là[2] il nonno di Riccardo.

Riccardo: Ciao, nonno!

I compagni: Buon giorno, signor Santori!

Il nonno: Buon giorno, cari ragazzi! Ma che vedo? Voi
   ragazzi cosí quieti! Questo è molto strano. Di solito voi
   siete attivi ed irrequieti. Che c'è?[3]

Riccardo: Siamo quieti perché Roberto, Alberto, ed Antonio
   sono stanchi morti.

Roberto: Oh, bravo Riccardo, proprio cosí![4] Noi tre siamo
   stanchi morti, e forse tu non sei stanco, Riccardo?

Alberto: Sí, Riccardo, forse tu sei piú stanco di[5] noi.

Antonio: La verità è, signor Santori, che dopo due o tre ore
   di gioco alla palla, noi tutti siamo stanchi, compreso
   Riccardo.

Riccardo: Sí, è vero, nonno; anch'io sono stanco.

Il nonno: Il gioco è buono per voi ragazzi ed il riposo è
   buono per tutti, specialmente per un uomo vecchio come
   me.

I compagni: Oh, signor Santori, Lei non è vecchio!

Il nonno: Eh, cari ragazzi, voi siete gentili; ma sono vecchio, sono vecchio. Arrivederci!

I compagni: Arrivederla, signor Santori!

Riccardo: Ciao, nonno!

¹ are called, their names are   ² by there   ³ What is wrong?   ⁴ just like that!   ⁵ than

Seconda Parte

This version of "Il gioco ed il riposo" may be called a feminine version. This time it is about Carolina and her companions and, instead of grandfather Santori, grandmother Santori passes by.

Carolina e le compagne sono sedute all'ombra di un albero. Le compagne si chiamano Luisa, Lucia, e Norma. Luisa è la ragazza bionda. La ragazza bruna è Lucia. Norma è la ragazza grande. Passa per di là la nonna di Carolina.

Carolina: Ciao, nonna!

Le compagne: Buon giorno, signora Santori!

La nonna: Buon giorno, care ragazze! Ma che vedo? Voi ragazze cosí quiete! Questo è molto strano. Di solito siete attive ed irrequiete. Che c'è?

Carolina: Siamo quiete perché Luisa, Lucia, e Norma sono stanche morte.

Luisa: Oh, brava Carolina, proprio cosí! Noi tre siamo stanche morte, e forse tu non sei stanca, Carolina?

Lucia: Sí, Carolina, forse tu sei piú stanca di noi.

Norma: La verità è, signora Santori, che dopo due o tre ore di salto alla corda, noi tutte siamo stanche, compresa Carolina.

Carolina: Sí, è vero, nonna; anch'io sono stanca.

La nonna: Il gioco è buono per voi ragazze ed il riposo è buono per tutti, specialmente per una donna vecchia come me.

Le compagne: Oh, signora Santori, Lei non è vecchia!

La nonna: Eh, care ragazze, voi siete gentili; ma sono vecchia, sono vecchia. Arrivederci!

Le compagne: Arrivederla, signora Santori!

Carolina: Ciao, nonna!

Esercizi

I. Per la Comprensione

A. Rispondere alle seguenti domande prima in italiano e poi in inglese.

1. Chi è il ragazzo biondo?
2. Come si chiama il ragazzo bruno?
3. Chi è il ragazzo grande?
4. Dove sono seduti i quattro ragazzi?
5. Di solito, sono attivi essi?

6. Come sono essi adesso?
7. Perché sono quieti?
8. Che è buono per i ragazzi?
9. Che è buono per un uomo vecchio?
10. Quali (which) ragazzi sono gentili?

B. Formare delle proposizioni conformi al contenuto della lettura.

1. bionda / la ragazza / Luisa / è
2. Lucia / bruna / è / la ragazza
3. è / la ragazza / Norma / grande
4. sono / di Carolina / le compagne / esse
5. le quattro / all'ombra / sedute / d'un albero / sono / ragazze
6. la nonna / con le ragazze / di Carolina / parla
7. vede che / la nonna / le ragazze / molto quiete / sono
8. attive / sono / ed irrequiete / di solito / esse
9. le compagne / stanche / di Carolina / sono
10. Carolina / stanca / anche / è
11. è / il gioco / per / buono / le ragazze
12. è / il riposo / per / buono / tutti
13. di Carolina / le compagne / gentili / sono
14. insiste che / la signora Santori / vecchia / è

II. Per Imparare i Vocaboli. Per ogni vocabolo nella colonna **A**, trovare (nella colonna **B**) la parola inglese che è collegata per derivazione alla parola italiana. (For each word in column **A**, find in column **B** the English word that is related by derivation to the Italian word.)

	A		B
1.	albero	*a.*	brunette
2.	attivo	*b.*	repose
3.	bruno	*c.*	umbrella
4.	giorno	*d.*	arbor (a place shady with trees)
5.	morto	*e.*	journal (account of the day)
6.	ombra	*f.*	activity
7.	quieto	*g.*	veracity (truth)
8.	riposo	*h.*	mortician
9.	strano	*i.*	quietude
10.	verità	*j.*	extraneous (out of place, strange)

III. Per Imparare la Grammatica. Completare gli aggettivi. (Complete the adjectives.)

1. Roberto è biond ____; ma i compagni non sono biond ____.
2. Luisa è biond ____; ma le compagne non sono biond ____.
3. Alberto è brun ____; gli altri, però, non sono brun ____.
4. Lucia è brun ____; le altre, però, non sono brun ____.
5. Norma è grand ____; ma le compagne non sono tanto grand ____.
6. Antonio è grand ____; ma i compagni non sono tanto grand ____.
7. I compagni sono stanch ____; ma anche Riccardo è stanc ____.
8. Le compagne sono stanch ____; ma anche Carolina è stanc ____.
9. I compagni di Riccardo sono gentil ____; com'anche (likewise) le compagne di Carolina sono gentil ____.
10. Il nonno insiste che è vecchi ____; ed anche la nonna insiste che è vecchi ____.

Capitolo sesto

Punti principali di grammatica

A. I verbi semplici della terza coniugazione, tempo presente: **servire** *to serve.* (The present tense of the "simple" verbs of the third conjugation.)

Singolare: io **servo**   tu **servi**   Lei **serve**
                                             ecc.

Plurale: noi **serviamo**   voi **servite**   Loro **servono**
                                             ecc.

Significati. **Io servo** I serve, I do serve, I am serving; ecc.
Come **servire** (in questo capitolo): **dormire, sentire.**

B. L'articolo indeterminato (the indefinite article).

Singolare (a, an)	*Plurale* (some, any)
(*m.*)	(*m.*)
un fratello	**dei** fratelli
uno stadio, zio	**degli** stadi, zii
un albero	**degli** alberi
(*f.*)	(*f.*)
una madre, zia	**delle** madri, zie
un' amica, ombra	**delle** amiche, ombre

Note: In Italian there is no plural indefinite article. The contractions of **di** and the definite articles express the English *some* or *any* and are used here as the indefinite forms.

I vocaboli

adulto adult	**notte** (*f.*) night
almeno at least	**nove** nine
altro other; **un altro** another	**ogni** each, every
antico ancient	**ora** now
babbo dad	**pigro** lazy
bastare to be enough, to be sufficient, to suffice	**pochi (poche)** few, a few
camera room	**poi** then, afterward
corpo body	**porco** pig; (*pl.*) **porci**
detto saying, maxim, proverb	**proprio** just, really (*see Esp.*)
diventare to become	**sei** six
dormiglione (*m.*) sleepyhead	**sentire** to hear, to feel
dormire to sleep	**sette** seven
entrare to enter	**silenzio** silence
famoso famous	**sonno** sleep
fingere to feign, to pretend (*see Esp. di*)	**stamattina** this morning
gemello twin; **i gemelli** the twins	**storia** story, history
gridare to shout, to yell	**successo** happened; **che è successo?** what happened?
letto bed (*see Esp. da*)	**sufficiente** sufficient
medicina medicine (*see Esp. di*)	**sveglia** alarm clock
mentre while	**svegliare** to awaken, to wake up
molti (molte) many	**tardi** late
motto motto, saying	**ultimamente** lately

Le espressioni

da: la camera da letto the bedroom

di: (1) **la scuola di medicina** the medical school

(2) **fingere di dormire** to pretend to sleep (to pretend to be sleeping)

nemmeno: not even; **Non sentono nemmeno la sveglia.** They don't even hear the alarm clock.

o: or, either: **O non sentono o fingono di non sentire.** Either they do not hear or they pretend not to hear.

proprio: proprio così just so, exactly so

I dormiglioni

The parents of the twins, Peter and Paul, are talking about sleep. The father does not believe in oversleeping and complains about their twins, who love to sleep.

Madre: Stai[1] bene stamattina?

Padre: Sí, sto[2] bene. Perché domandi?

Madre: Non dormi bene, mi sembra.[3]

Padre: Forse non dormo molto ma dormo bene.

Madre: È quello che dico[4] —ultimamente non dormi abbastanza.

Padre: Se non dormo molto non significa che non dormo abbastanza. Dopo tutto, sei ore di sonno bastano.

Madre: Sei ore! Sembrano poche.

Padre: Per noi[5] adulti sei ore sono sufficienti. Per i ragazzi è un'altra storia: essi hanno bisogno di almeno sette ore di sonno.

Madre: Sette ore? I gemelli dormono almeno otto o nove ore ogni notte.

Padre: Sí, perché sono pigri: sono due dormiglioni. Non sai[6] il famoso detto dell'antica scuola di medicina di Salerno?

Madre: Che detto? Forse un motto che allude al dormire?[7]

Padre: Proprio cosí. Il motto dice,[8] "Sette ore un corpo, otto ore un porco."

Madre: Che! I gemelli non sono porci!

Padre: No, ma sono dormiglioni. Adesso sono le otto[9] ed essi dormono ancora.

Madre: Dormono proprio bene; non sentono nemmeno la sveglia. Quando cerco di svegliarli,[10] o non sentono o fingono di non sentire.

Padre: Non sentono te,[11] e non sentono la sveglia, ma sentono me.[11]

Madre: Allora, perché non vai[12] a svegliarli?

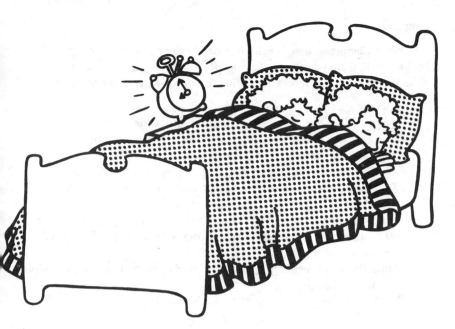

Padre: Bene!   Ora vediamo[13] se sentono o non sentono.
  (*Egli entra nella*[14] *camera da letto dei gemelli e grida.*)
  PIETRO! PAOLO!
Gemelli: Uh, ah! (*E poi silenzio.*)
Padre: PIETRO! PAOLO!
Gemelli: Che c'è? Che è successo? (*E poi silenzio.*)
Padre: SENTITE O NON SENTITE?
Gemelli: Sí, sí, babbo; sentiamo, sentiamo.
Padre: Allora, alzatevi,[15] SUBITO.
Gemelli: Sí, sí, babbo. Eppure . . . eppure sembra presto.
Padre: È tardi, è tardi; e mentre parliamo diventa ancora
  piú tardi.[16]

---

[1] are you?   [2] I am   [3] it seems to me   [4] that's what I say
[5] us   [6] don't you know   [7] that alludes to sleeping, to sleep   [8] says
[9] it is eight o'clock   [10] I try to wake them up   [11] you, me (**te, me**
are emphatic forms)   [12] why don't you go   [13] *trans. as:* Now we
shall see   [14] *not translated*   [15] get up   [16] later

Esercizi

I. Per la Comprensione. Scegliere le parole che completino le seguenti frasi secondo il contenuto della lettura. (Choose the words which complete the following sentences according to the contents of the selection.)

1. Il signore sta (is) ____. (male bene a scuola)
2. La signora dice che egli dorme ____. (molto bene male)
3. Egli insiste che dorme ____. (male bene troppo [too much])
4. Egli insiste che dorme ____. (abbastanza molto male)
5. Egli dice che sei ore di sonno sono ____. (molte sufficienti poche)
6. Per i ragazzi sei ore di sonno ____. (bastano non bastano sono troppe [too many])
7. Un dormiglione è una persona che dorme ____. (poco molto male)
8. Adesso i gemelli ____. (dormono ancora sentono la sveglia sentono la musica)
9. Stamattina essi si svegliano (wake up) perché sentono ____. (la madre il padre la sveglia)
10. Il padre dice che è ____. (presto notte tardi)

II. Per Imparare i Vocaboli. Per ogni vocabolo nella colonna **A**, trovare la parola contraria nella colonna **B**.

	A		B
1.	antico	*a.*	nuovo
2.	bene	*b.*	attivo
3.	giorno	*c.*	poco
4.	molte	*d.*	presto
5.	molto	*e.*	male
6.	pigro	*f.*	notte
7.	tardi	*g.*	poche

III. Per Imparare la Grammatica. Completare le seguenti frasi con la forma conveniente del verbo **partire**, tempo presente.

partire to leave   **per le montagne** for the mountains
per la spiaggia for the beach   **per dove?** for where?

1. Signorina, per dove ____ Lei?
2. Io ____ per le montagne.
3. Le amiche ____ per la spiaggia.

4. E voi, per dove ____?
5. Anche noi ____ per la spiaggia?
6. Forse anche tu ____ per la spiaggia?
7. No, mio fratello ed io ____ per le montagne.
8. Signori, per dove ____ Loro?
9. Io so (know) per dove ____ gli altri.
10. So anche (I also know) che il signor Pace ____ per le montagne.

Capitolo settimo

Punto principale di grammatica

I verbi della terza coniugazione con il suffisso -isc in alcune forme del tempo presente: **finire** *to finish*. (Verbs of the third conjugation with the suffix *-isc* in some forms of the present tense.)

Singolare:	io **finisco**	tu **finisci**	Lei **finisce** ecc.

Plurale:	noi **finiamo**	voi **finite**	Loro **finiscono** ecc.

Significati. **Io finisco** I finish, I do finish, I am finishing, ecc.
Come **finire** (in questo capitolo): **ardire, capire, preferire**

I vocaboli

aiutare to help
ammirare to admire
ardire (-isc) to dare
audace bold, daring; **l'audace** the bold person
capello hair; **i capelli** the hair
capire (-isc) to understand
cioè that is, that is to say
con with
conoscere to know, to be acquainted with
davvero really, truly
educato: ben educato well-bred, well-mannered
educazione (*f.*): la buona educazione good breeding, good manners
fortuna luck, fortune (*see Esp.* **per**)
fortunato lucky, fortunate
gioiello jewel
guardare to watch, to look (at)
infatti in fact; *also* **difatti**

insieme together
lí there
lontano far; **da lontano** from afar
meraviglioso marvelous
nessuno no one
permettere to permit
pianoforte (*m.*) piano
preferire (-isc) to prefer
presentare to introduce, to present
presentazione (*f.*) introduction
ricordare to remember
rosso red
sconosciuto unknown; **lo sconosciuto** the stranger
senza without
sfortuna misfortune, hard luck (*see Esp.* **per**)
sicuro sure, certain
stasera this evening
timido timid
vicino near (*see Esp.* **a**)

Le espressioni

a: **vicino al pianoforte** near the piano
avanti: forward, ahead; **avanti!** let's go ahead, let's go forth
da: **dai capelli rossi** with the red hair
di: **ardire di parlare** to dare to talk; **permette di parlare** permits to talk
e: **tutte e tre** the three of them; **tutte e due** both
per: **per fortuna** luckily, fortunately, by luck; **per sfortuna** unfortunately

Ardire o non ardire?

> Our three young fellows—Gianni, Gino, and Martino—have gone to a dance. They are now having difficulty in starting a conversation with three young ladies, especially since the dancing has not yet begun.

Gianni: Guardate,[1] guardate lí, vicino al pianoforte. Che belle signorine! Sono tre gioielli.

Gino: Sono meravigliose tutte e tre; ma io preferisco la bionda. Quale preferisci tu, Gianni?

Gianni: Preferisco. . .cioè. . .ammiro la bruna.

Martino: Allora, Gianni, continua ad ammirarla[2] da lontano, perché sono sicuro che tu non ardisci di presentarti a lei.[3]

Gino: Martino, se Gianni non ardisce di parlare con una ragazza sconosciuta non significa che egli è timido; significa che è ben educato.

Gianni: È proprio cosí. Stasera, per sfortuna, non conosciamo nessuna delle[4] tre ragazze.

Martino: Sfortuna! Fortuna! Cari amici, non ricordate il famoso proverbio: "Fortuna ed ardire vanno insieme"?[5]

Gino: Sí, sí; e ricordo anche un altro detto: "La fortuna aiuta l'audace."

Gianni: Eppure, la buona educazione non permette di parlare con una signorina senza una presentazione.

Martino: Timidi o non timidi, audaci o non audaci, ardire o non ardire—stasera voi siete fortunati.

Gianni: Ora non capisco come noi siamo fortunati.

Gino: Martino, non solo Gianni non capisce, ma nemmeno io capisco come siamo fortunati.

Martino: Siete fortunati perché io conosco la ragazza dai capelli rossi. Si chiama Elena. È un'amica di mia sorella.[6]

Gianni: Che fortuna davvero!

Gino: Andiamo[7] allora.

Martino: Avanti! Io vi presento[8] ad Elena che poi ci presenta[9] alle compagne.[10]

---

[1] look (*a command*)   [2] continue to admire her (*a command*)   [3] to introduce yourself to her   [4] of the   [5] Luck and daring go together. (Faint heart never won a fair lady.)   [6] one of my sister's friends, a friend of my sister's   [7] Let's go.   [8] *trans. as:* I will introduce you   [9] *trans. as:* she will introduce us   [10] to her companions

Esercizi

I. Per la Comprensione. Rispondere alle domande prima in italiano e poi in inglese.

1. Dove sono le tre belle signorine?
2. Chi dice che esse sono tre gioielli?
3. Chi dice che esse sono meravigliose?
4. Quale signorina preferisce Gino?
5. E Gianni, quale signorina ammira egli?
6. Chi non ardisce di presentarsi (to introduce himself)?
7. Chi non ardisce di parlare a una ragazza sconosciuta?
8. Chi dice che senza ardire non c'è fortuna?
9. Quali persone aiuta la fortuna?
10. Quali ragazzi sono fortunati stasera?
11. Come si chiama la ragazza dai capelli rossi?
12. Chi conosce Elena?
13. Chi presenta Gino e Gianni ad Elena?
14. Chi presenta i tre ragazzi alle (to the) altre signorine?

II. Per Imparare i Vocaboli.

A. Per ogni vocabolo nella colonna **A**, trovare il contrario nella colonna **B**.

A	B
1. audace	*a*. conosciuto
2. fortuna	*b*. sfortuna
3. insieme	*c*. timido
4. lontano	*d*. solo
5. nessuno	*e*. tutti
6. sconosciuto	*f*. con
7. senza	*g*. vicino

B. Per ogni vocabolo nella colonna **A**, trovare il sinonimo nella colonna **B**.

A	B
1. capire	*a*. poi
2. finire	*b*. detto
3. dopo	*c*. completare
4. lí	*d*. comprendere
5. motto	*e*. là

III. Per Imparare la Grammatica. Completare le frasi seguenti con la forma conveniente del verbo preferire, tempo presente.

preferire to prefer   **del caffè** some coffee
del tè some tea   **del latte** some milk

1. Martino, ＿＿＿＿ tu del tè o del caffè?
2. Io ＿＿＿＿ del caffè.
3. Forse le signorine ＿＿＿＿ del tè.
4. Signorine, Loro ＿＿＿＿ del tè, non è vero?
5. Ma no, noi ＿＿＿＿ del caffè.
6. E Lei, signora, anche Lei ＿＿＿＿ del caffè?
7. Oh no; io ＿＿＿＿ del tè.
8. E voi bambini (children), certo voi ＿＿＿＿ del latte.
9. Sí, noi ＿＿＿＿ del latte.
10. Generalmente (generally), i bambini ＿＿＿＿ del latte.

Capitolo ottavo

Punto principale di grammatica

Le preposizioni articolate. (The contraction of prepositions with the articles.)

Singolare

	il	*lo*	*l'*	*la*	*l'*
a:	**al** mare	**allo** stato	**all'**albero	**alla** casa	**all'**uscita
da:	**dal** mare	**dallo** stato	**dall'**albero	**dalla** casa	**dall'**uscita
di:	**del** mare	**dello** stato	**dell'**albero	**della** casa	**dell'**uscita
in:	**nel** mare	**nello** stato	**nell'**albero	**nella** casa	**nell'**uscita
su:	**sul** mare	**sullo** stato	**sull'**albero	**sulla** casa	**sull'**uscita

Plurale

	i	*gli*	*gli*	*le*	*le*
a:	**ai** mari	**agli** stati	**agli** alberi	**alle** case	**alle** uscite
da:	**dai** mari	**dagli** stati	**dagli** alberi	**dalle** case	**dalle** uscite
di:	**dei** mari	**degli** stati	**degli** alberi	**delle** case	**delle** uscite
in:	**nei** mari	**negli** stati	**negli** alberi	**nelle** case	**nelle** uscite
su:	**sui** mari	**sugli** stati	**sugli** alberi	**sulle** case	**sulle** uscite

Significati. **al mare** to the sea
dal mare from the sea, by the sea
del mare of the sea, about the sea; **dei mari** some seas
nel mare in the sea
sul mare on the sea, upon the sea

Note: The contracted forms of the prepositions **con** (*with*) and **per** (*for*) are generally not used except for **col, coi; pel, pei.**

vocaboli

acqua water
alquanto somewhat, rather
bacino basin
bagnare to bathe (a shoreline)
carta: carta geografica map
catena chain
circa about, approximately

circondato surrounded
costa coast
da by, from (*see Esp.*)
diviso divided
eccetto except
est (*m.*) east
facile easy

39

fino a   up to
galleggiare   to float
gamba   leg
isola   island
larga   wide
larghezza   width
lunga   long
mare (*m.*)   sea
miglio   mile; (*pl.*) le miglia
montagna   mountain
monte (*m.*)   mountain
montuoso   mountainous
nord (*m.*)   north
ovest (*m.*)   west
paese (*m.*)   country (nation)
parte (*f.*)   part, side

penisola   peninsula
peninsulare   peninsular
piede (*m.*)   foot
piú   more (*see Esp.*)
punta   point (*here* toe)
rendere   to render, to make
ricoperto   covered (*see Esp.* di)
ricoprire   to cover
separare   to separate
sotto   under, beneath
stato   state
stivale (*m.*)   boot
su   on, upon
terzo   third
toccare   to touch

Le espressioni

a: al nord   on the north
da: da tutte le parti   on all sides
di: circondata d'acqua   surrounded by water; ricoperta di monti   covered
    by mountains
piú: la parte piú larga   the widest part; la parte piú lunga   the longest part
si: si trova   is found, is located; si trovano   are found, are located
solo: il solo stato del Texas   the state of Texas alone

Un paese piccolo e montuoso

È facile trovare l'Italia su una carta geografica dell'Europa
perché ha la forma di uno stivale.   Lo stivale è circondato
d'acqua[1] da[2] tutte le parti eccetto una: la parte del nord.
Quindi, l'Italia è una penisola.   Ci sono anche delle isole che
fanno[3] parte dell'Italia.   Due delle isole italiane sono grandi,
cioè, la Sicilia e la Sardegna.   Le altre, come le isole Lipari e
l'isola d'Elba, sono alquanto piccole.

L'Italia, cioè lo stivale con tutte le isole, sembra galleggiare in un bacino d'acqua; specificamente, sulle acque del Bacino Mediterraneo che è diviso in cinque mari. I cinque mari che bagnano o toccano l'Italia sono: il Mar Ligure al nord-ovest vicino alla Francia; il Mar Tirreno all'ovest; il Mar Mediterraneo al sud dove separa l'Italia dall'Africa; il Mar Ionio, sotto il piede dello stivale; ed il Mar Adriatico all'est.

L'Italia è un paese piccolo. La distanza piú lunga, dal nord-ovest al sud-est, è di circa 640 (seicentoquaranta) miglia. La parte piú larga è di circa 360 (trecentosessanta) miglia. La parte peninsulare, cioè la "gamba" dello stivale, ha una larghezza media[4] di circa 100 (cento) miglia. Quindi, da una vetta[5] degli Appennini possiamo vedere[6] il Mar Adriatico da[7] una parte (all'est) ed il Mar Tirreno dall'altra parte (all'ovest). Gli Appennini formano una catena di montagne che si estende[8] dalla Francia fino alla punta dello stivale. Questa lunga catena di monti è chiamata[9] la "spina dorsale"[10] d'Italia. Le Alpi formano un'altra catena di montagne. Queste montagne separano l'Italia dalla Francia, dalla Svizzera, dall'Austria, e dalla Jugoslavia. Le due catene di monti rendono l'Italia molto montuosa, tanto che[11] due terzi dell'Italia è ricoperta di monti.

In conclusione, l'Italia è un paese montuoso e piccolo, tanto piccolo che il solo stato del Texas[12] è piú grande dell'Italia.

---

[1] *trans.* by water   [2] *trans.* on   [3] *trans.* are   [4] medium   [5] from a peak (*il Gran Sasso d'Italia*)   [6] we can see, we are able to see   [7] *trans.* on   [8] extends itself, stretches   [9] is called   [10] spinal column   [11] so much so that   [12] the state of Texas alone, the sole state of Texas

Esercizi

I. **Per la Comprensione.** Completare le frasi seguenti.

1. L'Italia si trova nel continente d'____ .
2. L'Italia ha la forma di uno ____ .
3. L'Italia è quasi (almost) circondata d'____ .
4. Quindi, l'Italia è una ____ .
5. Numerose ____ fanno parte dell'Italia.
6. Le due isole grandi sono la ____ e la ____ .
7. I due mari che bagnano (toccano) la costa dell'ovest sono ____ e ____ .
8. Il mare che separa l'Africa dall'Italia è ____ .
9. Sotto il piede dello stivale si trova il Mar ____ .
10. Il Mar ____ bagna la costa all'est.
11. I monti che si estendono dal nord al sud sono ____ .
12. Le montagne che si estendono dall'ovest all'est sono ____ .

13. Le montagne che separano l'Italia da quattro (four) paesi europei
    sono ____ .
14. L'Italia è un paese piccolo e ____ .
15. Due terzi dell'Italia è ricoperta di ____ .

II. Per Imparare i Vocaboli. Per ogni vocabolo nella colonna **A**, trovare la
parola inglese, nella colonna **B**, che è collegata per derivazione alla parola
italiana.

A	B
1. acqua	*a.* facility
2. alto	*b.* century
3. cento	*c.* solitary
4. facile	*d.* altitude
5. isola	*e.* pedal
6. mare	*f.* aquarium
7. piede	*g.* isolate
8. solo	*h.* mariner

III. Per Imparare la Grammatica. Completare ciascuna frase con la forma
articolata della preposizione indicata. (Complete each sentence with the
contracted form of the indicated preposition and the required article.)

A. a = *to, at*

1. La signorina arriva ____ aula.
2. Il giovane è vicino ____ scrivania (desk).
3. Egli allude ____ studente seduto.
4. Egli allude anche ____ studenti non ancora presenti.
5. Il giovane risponde ____ domande della signorina.
6. Gianni è grato (grateful) ____ amico Martino.
7. La signorina parla ____ giovane.
8. Martino dice "Ciao!" ____ compagni.

B. da = *from, by*

1. Ritornano ____ mare.
2. Essi scendono (come down) ____ monti.
3. Il mare separa l'Italia ____ Africa.
4. Ritornano ____ montagne.
5. Scendono ____ alberi.
6. Ritornano ____ stadio.
7. Ecco (Here is) la lettera scritta (written) ____ amico.
8. Ecco il libro scritto ____ professore.

C. di = *of, about, concerning*

1. Tina e Gina parlano ____ macchina nuova.
2. Tina sembra parlare male ____ amica Gina.
3. Tina parla ____ popolazione del mondo.
4. Gianni e Gino parlano ____ nuovo amico.
5. Le buone qualità (qualities) ____ amico sono molte.
6. Martino parla ____ persone audaci.
7. I ragazzi sono seduti all'ombra ____ alberi.
8. I nomi (names) ____ gemelli sono Pietro e Paolo.

D. in = *in*

1. Ci sono due studenti ____ aula.
2. Ci sono molte parole nuove ____ frasi.
3. Ci sono due letti ____ camera.
4. C'è molta acqua ____ bacino.
5. C'è molta gente (people) ____ stadio.
6. Ci sono molte donne (women) ____ negozi (stores).
7. Non vedo gli uccelli (birds) ____ alberi.
8. Il professore ha fiducia (faith) ____ studenti.

E. su = *on*

1. Vedi la neve (snow) ____ monte?
2. Sí, vedo la neve ____ montagna.
3. Vedete la neve ____ albero?
4. Sí, vediamo la neve ____ alberi.
5. Vedete la neve ____ monti?
6. Sí, com'anche vediamo la neve ____ case (houses).
7. Vede Lei la neve ____ mare?
8. No, non c'è neve ____ acqua.

Capitolo nono

Punto principale di grammatica

Il verbo **andare** *to go*, tempo presente.

Singolare: io **vado (vo)**   tu **vai**   Lei **va**
                                               ecc.

Plurale: noi **andiamo**   voi **andate**   Loro **vanno**
                                               ecc.

Significati. **Io vado** I go, I am going, I do go, ecc.

I vocaboli

abitare to dwell, to live
abitazione (*f.*) dwelling, house
anno year (*see Esp.* **avere**)
aprire to open
biscotto biscuit
bussare to knock
cosa thing (*see Esp.*)
dolce sweet; **i dolci** sweets, candy
ghiottone (*m.*) glutton
insieme together
padrone (*m.*) master, owner
passeggio walk (*see Esp.* **a**)
piazza square, plaza

principale principal, main
qui here (*see Esp.* **vicino**)
senza without (*see Esp.* **di**)
serva maid, servant
solo alone
sorella sister
verso toward, about
via way, away
visita visit (*see Esp.* **fare**)
volta time (*see Esp.* **un**)
zuccone (*m.*) dumbbell; *literally*
     big pumpkin

Le espressioni

a: (1) **Non è a casa.** He is not home.
   (2) **andare a passeggio** to go for a walk
avere: Quanti anni ha? How old is he? **Ha cinquant'anni.** He is fifty years
   old.
cosa: Che cosa desidera? Cosa desidera? What do you wish?
di: senza di me without me
fare: fare una visita to pay a visit
a: dopo la scuola after school
un: un altro another; **un'altra volta** some other time
vicino: qui vicino nearby, near here; **lí vicino** near there

Lo zuccone

Little Carolina, not knowing all the facts, makes a severe and erroneous judgment about one of her grandfather's friends.

Narratore: Dopo la scuola, Riccardo e la piccola Carolina vanno a passeggio con il nonno. Quando arrivano alla piazza principale, il nonno ricorda che un suo amico[1] abita lí vicino.[2]

Nonno: Qui vicino abita un mio amico. Ora se voi andate a casa soli, senza di me, io vado a fare una visita all'amico.

Riccardo: Carolina, perché non andiamo anche noi con il nonno? Chi sa,[3] forse l'amico del nonno ci offrirà[4] dei dolci.

Carolina: O almeno dei biscotti. Nonno, dove vai tu vado io.

Nonno: Voi siete due ghiottoni. Va bene,[5] andiamo.[6]

Narratore: E cosí, tutti e tre vanno insieme verso l'abitazione dell'amico del nonno. Quando arrivano, il nonno bussa alla porta. La serva apre e dice:

Serva: Buon giorno, signore! Cosa desidera?

Nonno: Desidero vedere il padrone; sono un suo amico.[7]

Serva: Mi dispiace,[8] ma il padrone non è a casa; è ancora a scuola.

Nonno: Grazie! Sono il signor Santori. Ritornerò[9] un'altra volta. Arrivederci.

Serva: Arrivederla, signor Santori.

Narratore: I tre vanno via. Carolina, non sapendo[10] che l'amico del nonno è professore di scuola, domanda:

Carolina: Nonno, quanti anni ha[11] quest'amico tuo?[12]

Nonno: Egli ha piú di cinquant'anni.

Carolina: Santo cielo![13] Che zuccone! Ha piú di cinquanta anni e va ancora a scuola.

Riccardo: Cara sorella, sei tu la zuccona.

---

[1] one of his friends   [2] nearby there, near there   [3] who knows?
[4] he will offer us   [5] very well   [6] let's go   [7] a friend of his   [8] I am sorry   [9] I shall return   [10] not knowing   [11] how old?   [12] this friend of yours   [13] Good Heavens!

Esercizi

I. **Per la Comprensione.** Rispondere alle domande prima in italiano e poi in inglese.

1. Con chi va a passeggio il nonno?
2. Chi abita vicino alla piazza principale?
3. Chi è professore?
4. Chi desidera visitare il nonno?
5. Chi desidera andare con il nonno?
6. Che sperano (hope) di ricevere Riccardo e Carolina?
7. Dove vanno tutti insieme?
8. Chi bussa alla porta?
9. Chi apre la porta?
10. È a casa l'amico del nonno?
11. Dov'è egli?
12. Chi non sa (know) che egli è professore?
13. Secondo (according to) Carolina, che è l'amico del nonno?
14. Secondo Riccardo che è Carolina?

II. Per Imparare i Vocaboli. Per ogni vocabolo nella colonna A, trovare nella colonna B la parola inglese collegata per derivazione al vocabolo italiano.

	A		B
1.	abitare	*a.*	to record
2.	amico	*b.*	adverse
3.	anno	*c.*	portals
4.	porta	*d.*	vicinity
5.	ricordare	*e.*	habitat
6.	verso	*f.*	amicably
7.	vicino	*g.*	annual

III. Per Imparare la Grammatica

A. Completare le frasi con la forma conveniente del verbo **andare**, tempo presente.

1. Riccardo, con chi _____ tu a scuola?
2. Io _____ con i compagni.
3. Come _____ a scuola voi?
4. Noi _____ a piedi (on foot).
5. Certi alunni (pupils), però, _____ in autobus (by bus).
6. E Lei, signorina, come _____ Lei all'ufficio (office)?
7. Mia sorella ed io _____ in autobus.
8. Alcune signorine _____ in bicicletta (by bicycle).
9. Signori, anche Loro _____ in bicicletta?
10. No, noi _____ in macchina.

B. Completare le frasi italiane con le parole necessarie per esprimere l'età. (Complete the Italian sentences with the necessary words to express age.) Studiare prima gli esempi.

Esempi: **Che età hai?** What is your age? How old are you?
 Quanti anni hai? How old are you?
 Io ho venti anni. I am twenty years old.
 Noi abbiamo la stessa età. We are of the same age.

Note: In such expressions, the verb **avere** is required for the English "to be."

1. How old is Carolina?   Che età _____ Carolina?
2. How old is Riccardo?   Quanti _____ Riccardo?

3. Carolina is seven years old.   Carolina ____ sette ____ .
4. The brother is 12 years old.   Il fratello ____ dodici ____ .
5. How old are Gianni and Gino?   ____ anni ____ Gianni e Gino?
6. They are 16 years old.   Essi ____ sedici ____ .
7. How old are you, Martino?   Che età ____ , Martino?
8. I also am 16 years old.   Anch'io ____ anni.
9. Then you are of the same age.   Allora voi ____ la stessa età.
10. Yes, we are of the same age.   Sí, noi ____ la stessa ____ .
11. How old are the twins?   ____ età ____ i gemelli?
12. Peter and Paul are 15.   Pietro e Paolo ____ 15 ____ .
13. And you, Miss, how old are you?   E Lei, signorina, quanti ____ ?
14. I am 22 years old.   Io ____ ventidue ____ .

Capitolo dęcimo

Punto principale di grammatica

Il verbo **stare** per indicare lo stato della salute, ecc., tempo presente. (The present tense of the verb **stare** *to be* to indicate the state of health, etc.)

	Singolare		*Plurale*
io **sto** bene	I am well		noi **stiamo** ecc.
tu **stai** male	you are ill		voi **state** ecc.
Lei **sta** meglio	you are better		Loro **stanno** ecc.
egli **sta** peggio	he is worse		essi **stanno** ecc.
ella **sta** zitta	she is silent		esse **stanno** ecc.
essa			

I vocąboli

affatto: non. . .affatto not at all
battaglia battle
combattere to fight
consistere to consist (*see Esp.* in)
continuo continuous (*see Esp.* di)
contro against
cura cure, treatment
difficile difficult, hard
Dio God (*see Esp.* a)
distruggere to destroy
dottore (*m.*) doctor
durante during
ecco: here is, here are (*see Esp.*)
effetto effect (*see Esp.* **fare**)
evidentemente evidently
faniciullo child
finalmente finally, at last
germe (*m.*) germ
incontrare to meet
iniezione (*f.*) injection

nessuno no one (*see Esp.*)
novità novelty
passeggiata a walk, stroll
portare to carry, to bring
prendere to take; to catch (colds)
prima before; (at) first (*see Esp.* di)
purtroppo unfortunately
raffreddore (*m.*) cold (illness)
scienza science
seguito succession (*see Esp.* di)
sempre always, all the time (*see Esp.*)
serie (*f.*) series
settimana week
sperare to hope
spiegare to explain
spiegazione (*f.*) explanation
suggerire (-**isc**) to suggest
tra between, among
vincere to win

50

Le espressioni

a: Grazie a Dio! Thank God!
da: andare dal dottore to go the doctor's (office)
avere: Che ha Lei? What is wrong with you? **Che ha egli?** What is the
  matter with him?
di: (1) **di seguito** in succession, in a row
    (2) **tre giorni di seguito** three days consecutively, for three consecutive
      days
    (3) **quasi di continuo** almost continuously
    (4) **il dottore di famiglia** the family doctor
    (5) **peggio di prima** worse than before
fare: fare effetto to have effect, to have an effect
ecco: behold, look, here it is, there it is
in: consistere in to consist of
nessuno: no one; **nessun effetto** no effect, no effect whatsoever
sempre: always, all the time. **Sono i germi miei che vincono sempre.** It is
  my germs that always win. (Note position of **sempre**.)

I germi che vincono sempre

Mr. Massone consents to follow the doctor's suggestion about a new cure
for colds. Mr. Massone later explains why the cure did not work.

Narratore: Durante una passeggiata, il signor Massone in-
  contra il dottore di famiglia.
Massone: Buon giorno, signor dottore!
Dottore: Buon giorno, signor Massone. Come sta la signora?
  Ella sta meglio, spero.
Massone: Sí, dottore; ella sta meglio adesso.
Dottore: Ed i fanciulli, stanno bene?
Massone: Sí, grazie a Dio, stanno bene; non stanno mai zitti,
  ma stanno bene.
Dottore: Allora state tutti bene.
Massone: Purtroppo non tutti stiamo bene perché, in verità,
  io non sto bene affatto. Infatti sto male.
Dottore: Che ha Lei?[1]

Massone: Prendo raffreddori facilmente; ho il raffreddore quasi di continuo.

Dottore: Suggerisco una serie di iniezioni contro il raffreddore. È una cura nuova.

Massone: Una vera novità; una cura contro i raffreddori! In che consiste?

Dottore: È difficile spiegare. Ecco la spiegazone: nel Suo[2] corpo ci sono dei germi che portano il raffreddore; le iniezioni consistono in altri germi che combattono e distruggono i germi Suoi.

Massone: Sembra una buon'idea.[3] Finalmente la scienza ha trovato[4] la cura per il raffreddore.

Narratore: Per tre giorni di seguito il signor Massone va dal dottore per le iniezioni. Una settimana dopo l'ultima iniezione il signor Massone incontra il dottore.

Dottore: Buon giorno, signor Massone! Come sta Lei adesso? Sta bene?

Massone: Eh, caro dottore, sto male; infatti sto peggio di prima.

Dottore: Peggio! Allora le iniezioni non fanno[5] nessun effetto. Non capisco, non capisco davvero.

Massone: Io, però, ho capito. Ho capito che nella battaglia tra i germi delle iniezioni ed i germi miei,[6] sono i germi miei che vincono sempre.

[1] What is wrong with you? What is the matter with you?   [2] your
[3] It sounds like a good idea. It appears to be a good idea.   [4] has
found   [5] *trans.* have   [6] my

Esercizi

I. Per la Comprensione. Formare delle proposizioni conformi al contenuto della lettura.

1. il signor / il dottore / Massone / incontra / di famiglia
2. la signora / sta / Massone / meglio
3. bene / i fanciulli / stanno / molto / del signor Massone
4. zitti / non / i fanciulli / stanno mai / del signor Massone
5. bene / il signor / non / Massone / sta
6. infatti / sta / Massone / male / il signor
7. egli / di continuo / quasi / il raffreddore / ha
8. suggerisce / contro / il dottore / il raffreddore / delle iniezioni
9. delle iniezioni / i germi / del malato (sick person) / distruggono / i germi
10. delle iniezioni / i germi / nessun effetto / non fanno
11. di prima / peggio / sta / il signor Massone
12. i germi / vincono / del signor Massone / sempre

II. Per Imparare i Vocaboli

A. Per ogni vocabolo nella colonna **A**, trovare nella colonna **B** il vocabolo contrario.

A	B
1. bene	*a*. peggio
2. contro	*b*. ultimo
3. meglio	*c*. per
4. prima	*d*. perdere
5. primo	*e*. male
6. vincere	*f*. poi

B. Per ogni vocabolo nella colonna **A**, trovare nella colonna **B** la parola inglese che è collegata per derivazione alla parola italiana.

A	B
1. contro	*a*. duration
2. distruggere	*b*. primary
3. durante	*c*. destruction
4. novità	*d*. novelty
5. primo	*e*. ultimatum
6. ultimo	*f*. contrary
7. vincere	*g*. convince

III. Per Imparare la Grammatica. Completare le frasi con la forma conveniente del verbo **stare**, tempo presente.

stare to be	**meglio** better
bene well	**peggio** worse
male ill	**zitto** silent

1. I fanciulli ____ bene, ma non ____ mai zitti.
2. Meno male, la madre ____ meglio.
3. Purtroppo, il padre non ____ bene.
4. Infatti, egli ____ male.
5. E voi, ____ meglio oggi?
6. Purtroppo, noi ____ peggio.
7. E Lei, signorina, ____ bene?
8. Sí, grazie, io ____ bene.
9. E Loro, ____ ancora male?
10. Grazie a Dio, oggi noi ____ meglio.
11. E tu, perché ____ cosí zitto?
12. Perché io non ____ bene.

Capitolo undicesimo

Punto principale di grammatica

I verbi **dire** e **sapere**, tempo presente.

dire to say, to tell   **sapere** to know

Singolare	*Plurale*	*Singolare*	*Plurale*
io **dico**	noi **diciamo**	io **so**	noi **sappiamo**
tu **dici**	voi **dite**	tu **sai**	voi **sapete**
egli **dice**	essi **dicono**	egli **sa**	essi **sanno**
ecc.	ecc.	ecc.	ecc.

Significati. (1) **Io dico** I say (tell), I do say (do tell), I am saying (am telling), ecc.

(2) **Io so** I know, I do know; ecc.

I vocaboli

arteria artery
ciò what, that (*see Esp.*)
circolazione (*f.*) circulation
comunque however, nevertheless
cosa thing
cuore (*m.*) heart
dimenticare to forget
esame (*m.*) examination
gallo rooster
ignorante ignorant
imparare to learn
incoraggiare to encourage (*see Esp.* a)

intendere to intend
leggere to read
maggiore greater
memoria memory
promettere to promise (*see Esp.* di)
qualche some, any
quasi almost
sangue (*m.*) blood
sforzo effort
tale such (*see Esp.*)
tanti, tante so many
vari, varie various
vena vein

Le espressioni

a: **incoraggiare qualcuno a fare una cosa**   to encourage someone to do something

di: (1) **sembra di no** it seems not, it seems no
   (2) **di piú** more; **imparare di piú** to learn more
   (3) **prometto di ricordare** I promise to remember
ciò: ciò che dicono what they say; **è ciò che dico io** that's what I say;
   ciò non significa nulla that doesn't mean anything
in: di male in peggio from bad to worse
tale: una tale cosa such a thing; **tali cose** such things

Per imparare

> Three young women, students at the local Istituto Magistrale, or Teacher Training School, while walking to school discuss the problem of learning.

Laura: Sapete voi se c'è qualche esame oggi?

Lucia: Non so. Sembra di no; ma poi, c'è il professore di scienza che non ci[1] dice mai quando intende darci[2] un esame.

Luisa: Comunque, le altre amiche dicono che oggi infatti c'è un esame di scienza.

Laura: Male![3]

Lucia: Perché dici "male"?

Luisa: Le domande saranno basate[4] sulla circolazione del sangue.

Laura: Peggio ancora! Di male in peggio![5]

Lucia: Ma perché dici "di male in peggio"?

Luisa: Laura, certo tu sai le cose che riguardano[6] il cuore, le arterie, le vene, eccetera.

Lucia: Chi non sa tali cose? Noi tutte sappiamo queste cose.

Laura: Forse voi le[7] sapete, ma io non sono sicura di queste cose. Per esempio, non so per certo, se sono le vene o le arterie che portano il sangue alle varie parti del corpo. Sono le vene, non è vero?

Lucia: Tutto[8] il contrario.

Luisa: Come va[9] che noi sappiamo queste cose e tu non le[7] sai. Capisci o non capisci quando leggi i libri?

Laura: Capisco, sí, capisco; ma poi dimentico quasi tutto.

Lucia: Allora, ti[10] dico che tu, Laura, hai la memoria del gallo.[11]

Luisa: Cara Laura, dimenticare ciò che leggi è come non imparare[12] nulla, è come rimanere[13] ignorante.

Laura: Ma che dite voi? "Memoria del gallo," "non imparare nulla," "ignorante"! Desiderate offendermi?

Lucia: Non per offenderti,[14] Laura! Noi non diciamo queste cose per offenderti; le diciamo per incoraggiarti ad imparare di piú.

Luisa: Nel tuo caso, Laura, significa ricordare di piú.

Lucia: Dopo tutto, che diciamo noi? Diciamo ciò che disse[15] Dante. Certo, ricordi queste parole:

> . . . non fa scienza
> senza lo ritenere, avere inteso.[16]

Laura: Ricordo e capisco. Non mi offendo e prometto di fare maggiori sforzi di ricordare ciò che leggo.

[1] us, to us   [2] to give us   [3] That's bad!   [4] will be based   [5] From
bad to worse!   [6] regarding   [7] them   [8] quite   [9] how is it
[10] you, to you   [11] The Italians say this about a person with a poor
memory, like that of the rooster who crows to announce the new day
and then, forgetting that he has already done so, crows again and
again.   [12] like not learning   [13] like remaining   [14] Not to offend
you!   [15] said   [16] In Canto V of *Paradiso* (*freely translated*): "there
is no learning without remembering what has been understood."

Esercizi

I. Per la Comprensione

A. Rispondere alle domande prima in italiano e poi in inglese.

1. Chi desidera sapere se c'è un esame oggi?
2. Quale professore non annuncia mai gli esami?
3. Che esame c'è oggi?
4. Su che sarà basato (will be based) l'esame?
5. Chi non sa bene "la circolazione del sangue"?
6. Capisce Laura quando ella legge i libri?
7. Quale animale dimentica facilmente?
8. Perché non impara molto Laura?

B. Formare delle proposizioni conformi alla lettura.

1. la memoria / Laura / del gallo / ha
2. ciò che legge / bene / capisce / Laura / quasi tutto / ma dimentica
3. Laura / desiderano / non / offendere / Lucia e Luisa
4. a ricordare / esse desiderano / Laura / incoraggiare / di piú
5. Dante disse che / bisogna (it is necessary) / per imparare / e ricordare
   / capire

II. Per Imparare i Vocaboli. Per ogni vocabolo nella colonna **A**, trovare
nella colonna **B** la parola inglese collegata per derivazione al vocabolo italiano.

A	B
1. corpo	*a.* malediction
2. cuore	*b.* cordially
3. leggere	*c.* sanguinary
4. male	*d.* corpse
5. nulla	*e.* legible
6. sicuro	*f.* nullify
7. sangue	*g.* security

III. Per Imparare la Grammatica. Completare le frasi con la forma conveniente del verbo **dire** o **sapere**, tempo presente.

A. **dire**   to tell   **delle bugie**   lies
     la verità   the truth   **fandonie**   tall stories

1. Gianni, ____ sempre la verità, tu?
2. Certo, io non ____ bugie.
3. Quasi tutti ____ delle piccole bugie.
4. Anche noi ____ delle piccole bugie.
5. Lei, signorina, certo ____ sempre la verità.
6. Io e le mie sorelle ____ sempre la verità.
7. Il nonno, però, ____ molte fandonie.
8. Io ____ delle fandonie ma non ____ bugie.
9. E forse voi non ____ fandonie?
10. Sí, ma essi ____ delle bugie.

B. **sapere**   to know   **il cognome**   the last name
     il nome   the first name   **l'indirizzo**   the address

1. Gino, ____ tu il cognome di quella signorina?
2. No, io non ____ il cognome, ma ____ il nome.
3. E voi, ____ il nome del nuovo studente?
4. Certo, noi ____ il nome e cognome.
5. Signorina, ____ Lei l'indirizzo della biblioteca (library)?
6. No, ma forse mia sorella ____ l'indirizzo.
7. Evidentemente Loro non ____ l'indirizzo.
8. Essi non ____ il mio nome.
9. Che dici? Chi non ____ il tuo (your) nome?
10. Noi ____ anche il tuo cognome.

Capitolo dodicesimo

Punto principale di grammatica

Il verbo **fare** *to do*, *to make*, tempo presente.

Singolare: io **faccio (fo)**   tu **fai**   egli **fa**
Plurale: noi **facciamo**   voi **fate**   essi **fanno**

Significati.   (1) **Io faccio**   I do, I do do, I am doing, ecc.
  (2) **Io faccio**   I make, I do make, I am making, ecc.

I vocaboli

bambino infant, child
bimbo baby, child, infant
calzino sock
compleanno birthday
conservare to save
consiglio advice
continuare to continue
esagerare to exaggerate
faccenda task (*see Esp.* **di**)
fatica work, toil
gigantesco gigantic
giro turn (*see Esp.* **in**)
golf sweater; **golfino** little
  sweater
inverno winter
lana wool
lavorare to work
lavoro work
libero free
maggiore: fratello maggiore older
  brother
maglia stitch (*see Esp.* **a**)

maglione (*m.*) sweater (*here:* big
  sweater)
misura measure, size
modo manner, way (*see Esp.* **di**)
nipote (*m.*) nephew; **il nipotino**
  the little nephew
normale normal
occupato busy, occupied
pazienza patience
peccato sin, pity (*see Esp.* **che**)
permesso permission (*see Esp.* **con**)
quadro picture
ricominciare to begin again
salotto living room, parlor
sé himself, herself (*see Esp.* **fra**)
soltanto only
troppo too
trovare to find
venturo coming, next
veramente really, truly
volta time; **una volta** once
zia aunt

Le espressioni

a: (1) **lavorare a maglia** to knit; **il lavoro a maglia** knitting
   (2) **fino a quando** until, till, until the time when
che: **Che peccato!** What a shame! What a pity!
con: **con permesso** may I; with your permission
di: (1) **una faccenda di casa** a household task
   (2) **un golf di lana** a woolen sweater
   (3) **di nuovo** again, anew
   (4) **se continui di questo modo** if you continue in this manner
   (5) **piú d'una volta** more than once
fra: **fra sé** to herself, to himself
in: **prendere in giro** to tease, to pull someone's leg, to "kid" someone

La giovane zia lavora a maglia

Tina Talenti can never pass up an opportunity to pull Gina Ginori's leg. Now Tina gets another chance at Gina, who is knitting a sweater that is already too big for the intended wearer.

Scena Prima

Tina: Buon giorno, signora Ginori! Come sta?
Signora G.: Buon giorno, Tina! Sto benino,[1] grazie. E tu, come stai?
Tina: Oh, io sto benone,[2] grazie. Gina è occupata?
Signora G.: Credo di no. Certo, oggi non ha da fare[3] nessuna faccenda di casa. È nel salotto. Entra.[4]
Tina: Grazie, con permesso!

Scena Seconda

Tina: Ciao, Gina! Che fai?
Gina: Ciao, Tina! Non faccio niente; oggi sono completamente libera.

Tina: Dici che non fai niente, eppure vedo che lavori a maglia.

Gina: Oh, questo! Faccio questo lavoro a maglia quando non ho altro da fare.[5]

Tina: Va bene, ma ripeto: che cosa fai?[6]

Gina: Ah, ora capisco. Faccio un golfino di lana.

Tina: Un golfino dici? Per chi è questo golfino? Per il tuo fratello maggiore?

Gina: Per mio fratello? Ma no; è un golfino per il mio nipotino.

Tina: Oh, che bel[7] quadro: la giovane zia che fa un golfino per il nipotino!

Gina: Ora cominci a prendermi in giro.[8]

Tina: No, no! Trovo[9] proprio bello vedere le zie, specialmente, le giovani zie, che fanno lavori a maglia per i nipotini. Quanti anni ha questo nipote? Sette, otto anni?

Gina: Ma che dici? Il bimbo ha soltanto sette mesi.

Tina: Sette mesi! Santo cielo, che bambino gigantesco!

Gina: Ma tu dici sempre delle cose strane. Il bambino è normale.

Tina: Allora, per quando fai questo golfino?

Gina: Per il primo compleanno. Io faccio il golfino e mia madre fa i calzini. Li[10] facciamo per l'inverno venturo.

Tina: Ma, cara Gina, se continui di questo modo il golfino diventerà[11] un vero golf, un vero maglione da uomo.[12]

Gina: Non scherzi? Allora, anche tu lo trovi[13] grande?

Tina: Che significa anch' io lo trovo grande?

Gina: Mia madre ha notato, piú di una volta, che il golfino diventa troppo grande.

Tina: Eh, cosí sembra. Se continui cosí, sarà[14] meglio dare il *golfino* al padre del bambino.

Gina: Mi prendi in giro[15] di nuovo.

Tina: Sí, Gina, scherzo. Eppure, non esagero molto perché il golfino è veramente troppo grande.

Gina: Che fare adesso? Disfarlo[16] tutto e ricominciare con misure piú piccole? Che peccato: tanta fatica persa![17]

Tina: Il mio consiglio è di finirlo[18] con le attuali[19] misure
e di conservarlo fino a quando il nipote avrà[20] quattro o
cinque anni.

Gina: È un vero consiglio o mi prendi in giro?

Tina: Ora non scherzo: è un vero consiglio. Sono sicura che
tua madre sarà d'accordo[21] con me.

Gina: (fra sé) Pazienza, pazienza, caro nipotino!

---

[1] quite well   [2] very well   [3] does not have to do   [4] *command;* go in
[5] nothing else to do   [6] *Tina says* **fai** *in the sense of* to make *and not in
the sense of* to do.   [7] *form of* **bello**   [8] to pull my leg   [9] I find it
[10] them   [11] will become   [12] for a man   [13] find it, consider it
[14] *future of* **essere**: it will be   [15] you are pulling my leg; you are kidding
me   [16] undo it, take it apart   [17] so much wasted effort (*literally,*
so much work lost)   [18] to finish it   [19] present (as of now)
[20] *future of* **avere**   [21] will be in agreement, will agree

Esercizi

I. Per la Comprensione. Rispondere alle domande prima in italiano e poi in inglese.

1. Chi è la signora Ginori?
2. Chi è la signorina Tina Talenti?
3. Come sta la signora Ginori?
4. Come sta Tina Talenti?
5. È occupata Gina Ginori?
6. Quante faccende di casa ha da fare Gina?
7. Dov'è Gina adesso?
8. Chi lavora a maglia?
9. Chi fa un golfino di lana?
10. Per chi fa ella il golfino?
11. Chi ammira le giovani zie che lavorano a maglia?
12. Che età ha il nipotino di Gina?
13. È gigantesco il golfino o il bambino?
14. Che cosa diventerà un maglione da uomo?
15. Quindi, che è troppo grande?
16. È vero che il consiglio di Tina è di finire il golfino?
17. All'età di cinque anni che riceverà (will receive) il bambino dalla zia?

II. Per Imparare i Vocaboli. Completare ciascuna frase con un vocabolo collegato alla parola o espressione in corsivo (sia sinonimo, contrario, o derivato). Scegliere fra questi vocaboli: **benino, benone, compleanno, diventare, gigantesche, golfino, maglione, nipotino, ricominciare, venturo.**

1. La signora Ginori sta *alquanto bene;* sí, sta ____.
2. Tina Talenti sta *molto bene;* sí, sta ____.
3. Un ____ è un *piccolo nipote.*
4. Un ____ è un *piccolo golf.*
5. *Divenire* grande significa ____ grande.
6. Per fare un ____ lavoriamo a *maglia.*
7. In un senso, ____ significa *completare un anno.*
8. Un *gigante* ha proporzioni (proportions) ____.
9. L'inverno ____ significa l'inverno *che viene* (that is coming).
10. ____ significa *cominciare di nuovo.*

III. Per Imparare la Grammatica. Completare le frasi con la forma conveniente del verbo **fare**, tempo presente.

   A. fare to do   **favori** favors
     compiti assignments (homework)

1. Ragazzi, perché non ____ i compiti, voi?
2. Ma noi ____ sempre i compiti.
3. Purtroppo, certi ragazzi non ____ mai i compiti.
4. Chi ____ tanti favori a Gianni?
5. È Martino che ____ i favori a Gianni.
6. Martino, è vero che tu ____ molti favori a Gianni?
7. Io ____ dei favori ma forse non molti.

   B. fare to make   **il maglione** the sweater
     la gonna skirt   **sbagli** mistakes

1. Maria, ____ tu la gonna per la nipotina (little niece)?
2. Oh non io; mia madre ____ la gonna.
3. E chi ____ il maglione?
4. Le cugine (cousins) ____ tutti i maglioni.
5. E voi, non ____ né gonne né maglioni?
6. Purtroppo, noi ____ soltanto sbagli.
7. Le cugine, però, non ____ sbagli.
8. E Lei, signorina, ____ Lei dei maglioni?
9. No, ma io ____ delle gonne.
10. Maria, tu non ____ né gonne né maglioni; ma ____ molti sbagli.

Capitolo tredicesimo

Punto principale di grammatica

Il comparativo ed il superlativo degli aggettivi. (The comparative and superlative of adjectives.)

(*m. sing.*)	(*f. sing.*)	(*m. pl.*)	(*f. pl.*)	
esatto	esatta	esatti	esatte	exact
piú esatto	*piú* esatta	*piú* esatti	*piú* esatte	more exact
il piú esatto	*la piú* esatta	*i piú* esatti	*le piú* esatte	most exact
alto	alta	alti	alte	tall
piú alto	*piú* alta	*piú* alti	*piú* alte	taller
il piú alto	*la piú* alta	*i piú* alti	*le piú* alte	tallest

I vocaboli

altezza height
alto high, tall
avventura adventure
base (*f.*) base
benché although
cappello hat
cima peak, top
circonferenza circumference
coperto covered (*see Esp.* **di**)
cratere (*m.*) crater
dannoso damaging
distanza distance
eruzione (*f.*) eruption
esce: *pres. of* **uscire** to come out
fotografia photo, picture
fumo smoke

funicolare (*f.*) funicular railway
gran *form of* **grande** large, big
importanza importance
mentre whereas, while
metro meter
mezzo means (*see Esp.* **per**)
neve (*f.*) snow
numeroso numerous
oppure or, or else
pericoloso dangerous
personaggio character (in a play)
seggiovia chair lift
sole (*m.*) sun
sorgere to rise, to come forth
stesso same
volta time; **tre volte** three times

Le espressioni

a: **andare a piedi** to go on foot
d.C.: **dopo Cristo** (used instead of A.D., Anno Domini)
di: (1) **I vulcani d'Italia** the Italian volcanos, the volcanos of Italy
(2) **coperto di neve** covered with snow

per: (1) **per fortuna** fortunately, by luck, luckily
     (2) **per mezzo di** by means of

I vulcani d'Italia

Fra i numerosi monti d'Italia ci sono tre di particolare importanza perché sono dei vulcani.

Forse il meglio conosciuto[1] dei tre è **il Monte Vesuvio**, che si trova[2] solo a dieci miglia da Napoli. Certo, tutti abbiamo visto[3] delle fotografie del Vesuvio che sembra un gran cappello con un pennacchio[4] di fumo. Dal cratere sorge sempre del fumo perché il vulcano è sempre attivo. Per fortuna, però, non è molto pericoloso...tanto che[5] i turisti arrivano fino al cratere. Certo, essi non salgono[6] a piedi perché il monte è molto alto; difatti ha un'altezza di circa 1190 (mille centonovanta) metri o circa 3900 (tremila novecento) "piedi." Quindi il Monte Vesuvio è tre volte piú alto dell'Empire State Building.

I turisti arrivano alla cima del monte per mezzo di una funicolare oppure per mezzo di una seggiovia. Tutti sappiamo

che il Vesuvio ha avuto[7] delle eruzioni dannose, specialmente l'eruzione del 79 (settantanove) d.C. che seppellí[8] le vicine città di Pompei, Ercolano, e Stabbia.

Il Monte Etna si trova vicino alla città di Catania, in Sicilia. Questo vulcano è molto piú grande del Vesuvio. Il Vesuvio, alla base, ha una circonferenza di 30 (trenta) miglia; mentre la base del Monte Etna ha una circonferenza di 90 (novanta) miglia: cioè, tre volte piú grande di quella[9] del Vesuvio. L'Etna è circa tre volte piú alto del Vesuvio. Quindi, il Monte Etna è circa nove volte piú alto dell'Empire State Building. Infatti, è tanto alto che benché si trovi[10] in Sicilia, l'Isola del Sole, la cima del Monte Etna è sempre coperta di neve. L'Etna è bello come il Vesuvio ed è piú grande del Vesuvio; ma, purtroppo, è anche piú pericoloso.

Il piú piccolo dei vulcani italiani si chiama[11] **Stromboli**. Si trova su una piccola isola dallo[12] stesso nome. L'isola è una di molte altre che si chiamano le Isole Lipari, e si trovano a poca distanza dalla Sicilia. Lo Stromboli è molto attivo; quindi s'intende[13] perché Walt Disney abbia dato[14] il nome di *Stromboli* al personaggio chiamato *Mangiafoco*[15] nelle *Avventure di Pinocchio*.[16]

---

[1] the best known   [2] is found, is located   [3] have seen   [4] feather, plume (as on a hat)   [5] so much so that   [6] they go up   [7] has had [8] buried   [9] than that   [10] is found, is located   [11] is called   [12] of the, with the   [13] it is understandable   [14] has given   [15] *literally:* Fire-Eater   [16] The author of this famous story is Carlo Collodi, whose real name was Carlo Lorenzini (1826–1890), Collodi being the name of the town where he was born.

Esercizi

I. **Per la Comprensione.** Rispondere alle domande prima in italiano e poi in inglese.

1. Quanti vulcani ci sono in Italia?
2. Quale vulcano è il meglio conosciuto?
3. Quale città si trova vicino al Monte Vesuvio?
4. Che esce dal cratere?

5. È sempre attivo il Monte Vesuvio?
6. Generalmente, è pericoloso questo vulcano?
7. Qual è l'altezza del Monte Vesuvio?
8. Fino a dove arrivano i turisti?
9. Per non salire (to go up) a piedi, che prendono i turisti?
10. È vero che il Vesuvio ha avuto delle eruzioni dannose?
11. Quale famosa città seppellí l'eruzione del 79 d.C.?
12. Vicino a quale città si trova il Monte Etna?
13. Dove si trova la città di Catania?
14. Qual è la circonferenza del Monte Vesuvio alla base?
15. Qual è la circonferenza del Monte Etna alla base?
16. Quante volte piú grande del Vesuvio è l'Etna?
17. Quale vulcano è piú pericoloso, il Monte Etna o il Monte Vesuvio?
18. Come si chiama il piú piccolo dei tre vulcani d'Italia?
19. Come si chiama l'isola sulla quale si trova lo Stromboli?
20. Dove si trovano le Isole Lipari?

II. Per Imparare i Vocaboli

A. Completare ciascuna frase con il vocabolo collegato alla parola in corsivo (sia sinonimo, contrario, o derivato). Scegliere fra questi vocaboli: **altezza, dannose, importanza, numerose, pericolose, personaggi.**

1. Il paese è *importante*; sí, è un paese di grand' ____ .
2. Il monte è *alto*; è d'una ____ incredibile.
3. Il vulcano rappresenta un *pericolo* perché le eruzioni sono ____ .
4. Le eruzioni fanno molto *danno* (damage); sono ____ davvero.
5. C'è un gran *numero* d'isole; sí, le isole sono ____ .
6. Le *persone* in un dramma si chiamano ____ .

B. Trovare il vocabolo italiano per ogni parola o espressione inglese.

1. almost: qui quasi qualche
2. and yet: oppure o eppure
3. however: però tanto come
4. more: pronto piú per
5. manner: modo molto mai
6. same: sempre se stesso
7. which: quale questo quello
8. while: quando dopo mentre
9. when: dove quando quanto
10. up to: dopo di fino a circa

III. Per Imparare la Grammatica. Completare le frasi incomplete con la forma comparativa o superlativa dell'aggettivo indicato in corsivo.

1. L'Arno è alquanto *lungo*.
   a. L'Adige è ____ dell'Arno.
   b. Il Po è ____ dei tre fiumi (rivers).
2. Lo Stromboli è alquanto *alto*.
   a. Il Vesuvio è ____ dello Stromboli.
   b. L'Etna è ____ dei tre vulcani.
3. Napoli è una *grande* città.
   a. Milano è ____ di Napoli.
   b. Roma è ____ delle tre città.
4. Certi studenti sono *studiosi*.
   a. Altri studenti sono ____ .
   b. Ma quali sono ____ di tutti?
5. Certe città sono *belle*.
   a. Altre città sono ancora ____ .
   b. Quali sono ____ città del mondo?

Capitolo quattordicẹsimo

Punto principale di grammạtica

I verbi della prima e seconda coniugazioni, tempo futuro.

<table>
<tr><td colspan="2">passare to pass</td><td colspan="2">pẹrdere to lose</td></tr>
<tr><td>Singolare</td><td>Plurale</td><td>Singolare</td><td>Plurale</td></tr>
<tr><td>io passerò</td><td>noi passeremo</td><td>io perderò</td><td>noi perderemo</td></tr>
<tr><td>tu passerai</td><td>voi passerete</td><td>tu perderai</td><td>voi perderete</td></tr>
<tr><td>egli passerà</td><td>essi passeranno</td><td>egli perderà</td><td>essi perderanno</td></tr>
</table>

Significati: (1) **Io passerò** I shall pass, I will pass, I am going to pass, ecc.
(2) **Io perderò** I shall lose, I will lose, I am going to lose; ecc.

I vocạboli

accordo   agreement (*see Esp.* di)
ansioso   anxious (*see Esp.* di)
ạsino   donkey
autista (*m., f.*)   driver
azzurro   blue
bollettino: bollettino meteorolọgico
   weather report
camminare   to walk
chiẹdere   to ask, to ask for
cielọ   sky
costume (*m.*): costume da bagno
   bathing suit
diạvolo   devil
domani   tomorrow
fermata   stop
giornata   day (entire duration)
godere   to enjoy
intenzione (*f.*)   intention
lasciare   to leave
mandare   to send
mangiare   to eat

merenda   lunch, snack
nemmeno   not even
nessuno   no one (*see Esp.*)
nuotare   to swim
officina   factory
ognuno   each one, everyone
passo   step
per   for, in order to (*see Esp.*)
preparare   to prepare
prestare   to lend
problema (*m.*)   problem; (*pl.*) i
   problemi
provvidenziale   Godsent, providential
punto   dot (*see Esp.* in)
restare   to remain (*see Esp.* ci)
rinfrescante   refreshing
ritornare   to return (*see Esp.* a)
santo   saint
sezione (*f.*)   section, part
smẹttere   to stop (*see Esp.* di)

spesso often (*see Esp.* **troppo**)
spiaggia beach
splendente resplendent, bright, shining
tempo weather (*see Esp.*)

troppo too much, too
veduta sight, view
viaggiare to travel
volare to fly

Le espressioni

a: (1) **a proposito** by the way
  (2) **ritornerà a prenderci** he will return to pick us up
  (3) **essere a corto di denaro** to be short of money
di: (1) **siamo d'accordo** we are in agreement, we are agreed
  (2) **sono ansioso di nuotare** I am anxious to swim
  (3) **qualche cosa di buono** something good
  (4) **smetterai di nuotare** you will stop swimming
ci: **ci resta un problema** there remains one problem
in: **le cinque in punto** exactly five o'clock; five o'clock on the dot; precisely five o'clock.
nessuno: no one; **nessun santo e nessun diavolo** no saint and no devil
per: **per mangiare** in order to eat, to eat
tempo: **del bel tempo** some good weather, some fine weather
troppo: too much; **troppo spesso** too often, much too often

Per andare alla spiaggia

Gianni, Gino, and Martino have decided to go to the beach tomorrow. They are now talking of their projected outing.

Gianni: Quindi siamo d'accordo. Domani passeremo[1] una bella giornata alla spiaggia.

Gino: Il bollettino meteorologico promette del bel tempo.

Martino: Che bello! Godremo[2] il sole splendente, il cielo azzurro, l'acqua rinfrescante, e. . . .

Gino: E la veduta di molte belle ragazze in costumi da bagno.

Gianni: Io, per me,[3] sono molto ansioso di nuotare. Mentre voi guardate le signorine, io continuerò a nuotare.

Martino: Ma smetterai di nuotare per riposare un po', o almeno per mangiare.

Gianni: Oh per mangiare, certo che smetterò di nuotare.

Martino: A proposito, che mangeremo?

Gino: Ognuno mangerà ciò che porterà da casa.

Gianni: Sono sicuro che mia madre mi[4] preparerà una bella merenda.

Martino: Quando ritornerò a casa, chiederò a mia madre di prepararmi[5] qualche cosa di buono. Certo, le[6] madri prepareranno delle buone merende.

Gino: Le mamme risolveranno il problema della merenda; ma ci resta un altro problema.

Gianni: Sí, ci resta un problema.

Martino: Che problema?

Gino: Il problema del tragitto.[7]

Gianni: Ecco: come viaggeremo?

Gino: Io dico, in autobus. C'è il numero 16 (sedici) che fa la fermata alla sezione pubblica della spiaggia.

Gianni: Sí, ma per prendere l'autobus c'è bisogno di denaro.

Martino: Ma tu, Gianni, sei sempre a corto di denaro.

Gianni: Purtroppo è vero: troppo spesso sono a corto di denaro.

Gino: Questa volta ti presterò io[8] il denaro.

Martino: Non c'è bisogno d'un prestito.

Gianni: Ma allora, come viaggerò io?   Con l'asino di San Francesco?

Martino: Io non so se tu sei tanto bravo da essere aiutato[9] dall'asino di San Francesco o dallo stesso San Francesco.[10] Infatti, non so il significato dell'espressione "andare con l'asino di San Francesco."

Gianni: Significa *andare a piedi.*

Gino: Caro Gianni, io non ho nessuna intenzione di camminare cinque o sei miglia.

Martino: Nessuno camminerà nemmeno dieci passi.

Gianni: Forse voleremo?

Martino: Voi non volerete e non camminerete; viaggeremo insieme in macchina.

Gino: E quale santo ci manderà questa macchina e forse anche l'autista?

Martino: Nessun santo e nessun diavolo.   Siete fortunati, perché mio padre ci porterà alla spiaggia.   Domani egli passerà di là[11] per andare ad un'officina da[12] quelle parti. Egli ci lascerà alla spiaggia e poi alle cinque in punto ritornerà a prenderci.[13]

Gianni e Gino: Martino, sei proprio un amico provvidenziale.

---

[1] *trans.* will spend   [2] **godremo** (*irregular future*)   [3] as for me, as far as I am concerned   [4] for me   [5] to prepare for me   [6] **nostre** (*our*) *is understood*   [7] the trip, the journey   [8] I will lend you (*position of io for emphasis*)   [9] so good as to be helped   [10] by Saint Francis himself   [11] by there   [12] *trans.* in   [13] to pick us up

Esercizi

I. Per la Comprensione

A. Rispondere alle domande prima in italiano e poi in inglese.

1. Chi sono i tre amici?
2. Dove passeranno essi la giornata domani?
3. Quali dei tre amici guarderanno le ragazze?

4. Chi nuoterà e non guarderà le ragazze?
5. Chi preparerà la merenda per i tre amici?
6. Chi è a corto di denaro?
7. Chi offre di fare un prestito?
8. Che significa andare con l'asino di San Francesco?
9. Chi non desidera camminare fino alla spiaggia?
10. Chi dice che non è necessario camminare?
11. Come viaggeranno fino alla spiaggia?
12. Come ritorneranno dalla spiaggia?

B. Formare delle proposizioni conformi alla lettura.

1. splendente / il sole / godranno / essi
2. anche / godranno / rinfrescante / l'acqua / essi
3. ansioso / Gianni / molto / di nuotare / è
4. smetterà / mangiare / solo per / di nuotare / Gianni
5. in autobus / per il tragitto / il denaro / Gianni / non ha
6. per andare / essi non voleranno / alla spiaggia / né cammineranno
7. il padre / i tre ragazzi / alla spiaggia / porterà / in automobile / di Martino
8. alle cinque / a prendere / egli ritornerà / i ragazzi

II. Per Imparare i Vocaboli. Per ogni vocabolo nella colonna A, trovare nella colonna B la parola alla quale il vocabolo è collegato per derivazione.

A	B
1. autista	*a.* vedere
2. cielo	*b.* prestito
3. fermata	*c.* uno
4. giornata	*d.* fresco (cool)
5. ognuno	*e.* celeste (= azzurro)
6. prestare	*f.* automobile
7. rinfrescante	*g.* fermare (to stop)
8. veduta	*h.* giorno

III. Per Imparare la Grammatica. Completare le frasi con la forma conveniente del verbo **camminare** o **ricevere**, tempo futuro.

A. camminare to walk   **a scuola** to school
  a casa home   **all'ufficio** to the office

1. Gianni, ____ tu a casa?
2. Certo che io ____ a casa.

3. Forse voi non ____ a casa?
4. Sí, anche noi ____ a casa oggi.
5. E Lei, signorina, ____ all'ufficio?
6. No, oggi io non ____ all'ufficio.
7. Certo, Loro non ____ all'ufficio.
8. Infatti, sí, oggi noi ____ all'ufficio.
9. Riccardo ed i compagni ____ a scuola.
10. Anche la sorella ____ a scuola.

B. **ricevere** to receive   **un premio** a prize
    regali presents   **complimenti** compliments

1. Martino, ____ tu qualche premio?
2. Io non ____ né premio né complimenti.
3. Gianni, però, ____ un bel premio.
4. Tu e Gianni ____ anche dei regali.
5. Speriamo (We hope) che noi ____ dei regali.
6. Lei, signorina, ____ molti complimenti.
7. La sorella ed io ____ dei complimenti ma nessun regalo.
8. Signori, ____ Loro dei regali?
9. Nessuno ____ regali; non è il caso.
10. I fanciulli ____ dei regali e dei complimenti.

Capitolo quindicesimo

Punto principale di grammatica

Verbi della terza coniugazione, tempo futuro (**capire** *to understand*).

Singolare: io **capirò** tu **capirai** egli **capirà**
Plurale: noi **capiremo** voi **capirete** essi **capiranno**

Significati. **Io capirò** I shall understand, I will understand, ecc.

I vocaboli

attività activity
babbo dad
colazione (*f.*) breakfast
compagnia company
compito homework assignment
completamente completely
conseguenza consequence, result
desideroso desirous
dubbio doubt
fiume (*m.*) river
fra within, in; *also* between, among
già already
giacché since
giardino garden
importare: non importa, it does not matter, it is not important
industria industry
invece instead, on the other hand
mezzo half

nemico enemy
odiare to hate, to detest
ozio idleness
perciò therefore
pesca fishing
pescare to fish
pescatore (*m.*) fisherman
pesce (*m.*) fish
pescivendolo fish vendor
pigliare to catch, to take
posto place, location
povertà poverty
prendere: prendere pesci to catch fish
presto early
quantità quantity
seguente following
senza without
tardo late (*adj.*)
temere to fear, to be afraid of

Le espressioni

a: (1) **andare a pescare** to go fishing
   (2) **al ritorno** upon returning
   (3) **fino a tarda ora** till a late hour
di: (1) **prima di andare** before going
   (2) **prima di un'ora** before one hour
   (3) **finire di studiare** to finish studying

I gemelli andranno a pescare

> Our old acquaintances Peter and Paul, the sleepyhead twins, are planning
> for a leisurely day tomorrow, knowing that their father is on a business
> trip and therefore won't be there to rush them.

Madre: Ragazzi, quando finirete di studiare? È già tardi.

Pietro: Finirò fra mezz'ora e poi andrò[1] a letto.

Paolo: Pietro, credi proprio che finirai fra mezz'ora? Forse non finiremo prima di un'ora.

Pietro: Comunque, è meglio se finiremo tutti i compiti prima di andare a letto.

Paolo: Mamma, desideriamo essere completamente liberi domani per andare a pescare.

Pietro: Non importa se andiamo a letto tardi; domani dormiremo fino a tarda ora, giacché non c'è il babbo per svegliarci[2] presto.

Paolo: Appunto! Domani non sentiremo il solito "Pietro, Paolo, è tardi!"

Pietro: Io non capirò mai perché il babbo è tanto nemico[3] del sonno.

Madre: Ma quando capirete che il babbo non è nemico del sonno, specialmente del sonno necessario? Il babbo è nemico dell'ozio.

Paolo: Ma senza dubbio, egli esagera.

Madre: Il babbo non esagera. Egli teme le conseguenze dell'ozio. E perciò dice spesso, "Chi va dietro all'ozio,[4] ha per compagnia la povertà." Quindi, egli non odia il sonno, invece ama l'industria e l'attività.

Pietro: Mamma, ti assicuriamo che non siamo pigri.

La mattina seguente, a tarda ora

Pietro: Oh, che bella colazione, mamma!

Paolo: Sei molto buona con noi;[5] grazie, mamma.

Madre: Non c'è da ringraziare.[6] Dove andrete a pescare?

Pietro: Al fiume, vicino al giardino pubblico.

Paolo: Sí, al solito posto dove andiamo con il babbo.

Madre: Oggi, però, non prenderete pesci perché è già tardi.
Il babbo dice, "Chi dorme non piglia pesci."[7]

Pietro: Dove peschiamo noi non importa quando ci si arriva.[8]

Madre: Ciò significa che il fiume è buono per la pesca; ci
sono molti pesci.

Paolo: Sfido io![9] In quel fiume, i pesci sono sempre lí,
giacché nessun pescatore riesce mai a tirarne fuori nemmeno
uno.[10]

Pietro: Vedi, mamma, che figli onesti hai! Siamo due
pescatori che ammettono che non pigliano pesci.

Madre: E come va che quando andate con il babbo ritornate
sempre con una buona quantità di pesci?

Paolo: Al ritorno dalla pesca, il babbo compra del pesce dal
pescivendolo, dicendo di essere[11] proprio desideroso di
mangiare del pesce.

Madre: Ah, ora capisco, ora capisco.

[1] andrò, andrete (*irregular future*)   [2] to awaken us   [3] such an enemy
[4] he who seeks idleness   [5] very good to us   [6] there is nothing for
which to thank   [7] "The early bird catches the worm." (*literally:*
"He who oversleeps does not catch fish.")   [8] it does not matter when
one gets there   [9] I should say so! And how!   [10] no fisherman ever
succeeds in pulling a single fish out of it   [11] saying that he is

Esercizi

I. Per la Comprensione

A. Rispondere alle domande prima in italiano e poi in inglese.

1. Chi dice che è già tardi?
2. Che fanno i due gemelli?
3. Finiranno di studiare fra mezz'ora?
4. Che finiranno prima di andare a letto?
5. Dove andranno domani?
6. Chi non sveglierà i gemelli domani mattina?
7. Chi è nemico dell'ozio?
8. Che è la conseguenza dell'ozio?
9. Chi ama l'industria e l'attività?
10. Sono pigri i due gemelli?

B. Formare delle proposizioni conformi al contenuto della lettura.

1. la madre / una bella / per i gemelli / prepara / colazione
2. la madre / ringraziano / i gemelli
3. al solito / a pescare / posto / essi andranno
4. la madre / pesci / non prenderanno / dice che / essi
5. pesci / perché / non prenderanno / tardi / è già / essi
6. il proverbio dice / pesci / non piglia / chi dorme
7. da quel fiume / pesci / nessun / tira fuori / pescatore
8. Paolo dice / quindi / molti pesci / nel fiume / che ci sono
9. scherza / Paolo / quando / ciò / dice
10. onesti / figli / i gemelli / sono
11. ammettono / pesci / mai / non prendono / che essi
12. nemmeno / pesci / prende / il babbo
13. dal pescivendolo / trova / il babbo / i pesci

II. Per Imparare i Vocaboli

A. Per ogni vocabolo nella colonna **A**, trovare nella colonna **B** la parola alla quale il vocabolo è collegato per derivazione.

A	B
1. attività	*a*. dubitare
2. desideroso	*b*. grazie
3. dubbio	*c*. attivo
4. pesca	*d*. povero
5. pescivendolo	*e*. desiderare
6. povertà	*f*. vendere
7. quantità	*g*. pescare
8. ringraziare	*h*. quanto

B. Per ogni parola o espressione inglese, trovare il vocabolo italiano.

1. at least: più   meno   almeno
2. precisely: pronto   appunto   presto
3. that: ci   ciò   là
4. instead: fra   senza   invece
5. since: giacché   perché   quindi
6. therefore: eppure   perciò   comunque

III. Per Imparare la Grammatica. Completare le frasi con la forma conveniente del verbo **partire**, tempo futuro.

partire to leave	**fra breve** shortly	
presto early	**oggi** today	
tardi late	**domani** tomorrow	

1. Martino, _____ presto, tu?
2. Sí; infatti io _____ fra breve.
3. La sorella, però, _____ più tardi.
4. Infatti, ella e mia madre _____ molto tardi.
5. E Lei, signorina, _____ domani?
6. No, io _____ oggi.
7. E voi, cari studenti, _____ oggi o domani?
8. Non siamo sicuri se noi _____ oggi o domani.
9. Infatti, essi non _____ né oggi né domani.
10. Certo, nessuno studente _____ fra breve.

Capitolo sedicesimo

Punto principale di grammatica

Il verbo **fare**, tempo futuro.

Singolare: io **farò**   tu **farai**   egli **farà**
Plurale: noi **faremo**   voi **farete**   essi **faranno**

Significati.   (1) **Io farò**   I will do, I shall do, I am going to do, ecc.
                (2) **Io farò**   I will make, I shall make, I am going to make, ecc.

I vocaboli

accettare to accept
affare (*m.*) matter, affair
andata going (*see Esp.* **di**)
aristocratico aristocrat, aristocratic
arme (*f.*) weapon, arm
avversario adversary, opponent
Barone (*m.*) Baron
binario railway track
calma calm
cambiamento change
città city
Conte (*m.*) Count
deserto deserted
disparte aside, apart (*see Esp.* **in**)
duello duel
eccitato excited
economo thrifty, economical
fandonia tall story
ferroviario railway (*adj.*)
fine (*f.*) end
finestrino: finestrino dei biglietti
   ticket window
grave serious, grave
impiegato employee, clerk

incredibile unbelievable
insulto insult
invano in vain
lettore (*m.*) reader
luogo place, location
osservare to observe, to see
pistola pistol
polizia police
pranzo dinner
prego! you're welcome!
procurare to procure, to get
ristorante (*m.*) restaurant
ritorno return (*see Esp.* **di**)
semplice simple; **un biglietto
   semplice** a one-way ticket
sfida challenge
sfidare to challenge
sopportare to bear, "to stand"
sottovoce in a whisper, in a low
   voice
stazione (*f.*) station
tavola table (*see Esp.* **a**)
villaggio village
voce (*f.*) voice (*see Esp.* **a**)

Le espressioni

a: (1) **a tavola** at the table
   (2) **a bassa voce** in a low voice
   (3) **ad alta voce** aloud, in a high voice
di: (1) **d'accordo** agreed, in agreement
   (2) **il biglietto di andata e ritorno** the round-trip ticket
   (3) **il biglietto di ritorno** the return ticket
e: **tutti e tre** the three of them, all three; **tutti e due** both
forte: **parlare piú forte** to speak louder, to speak more loudly
in: **in disparte** aside
per: **per piacere!** please!

L'aristocratico economo

In this playlet, an aristocrat is so thrifty as to figure out a way of avoiding an expense under very unusual circumstances.

Narratore: Seduti a tavola in un ristorante d'una città italiana ci sono due signori aristocratici, un Conte ed un Barone, con un loro amico,[1] il signor Carlo Carli. Essi sono alla fine del pranzo; prendono il caffè. Parlano a bassa voce e con calma. Ma ora c'è un cambiamento: il Conte ed il Barone sembrano eccitati e parlano piú forte. Il signor Carli cerca di calmarli[2] ma invano; va a finire[3] che il Barone insulta il Conte e questi[4] insulta il Barone. Che faranno . . . ?

Barone: Signor Conte, non sopporterò piú i Suoi[5] insulti. La sfido[6] a duello.

Carli: Duello? Duello! Non è il caso di fare[7] un duello; non è un caso cosí grave.

Conte: Lui mi ha sfidato[8] a duello. Bene! Accetto la sfida.

Barone: Che armi useremo?

Conte: Io preferisco le pistole.

Barone: D'accordo. Signor Carli, farà Lei da secondo[9] per tutti e due?

Carli: Quest'affare mi rattrista[10] molto; ma farò ciò che
   Loro desiderano.
Conte: Grazie, signor Carli. Adesso, l'ora ed il luogo.
Barone: Sí, l'ora ed il luogo... un luogo dove la polizia non
   osserverà nulla. Conosco io un luogo deserto, circa venti
   miglia lontano dalla città, vicino al villaggio di Monteverde.
Conte: Allora, domani mattina, alle sette precise[11] c'incon-
   treremo[12] alla Stazione Garibaldi. Farà comodo[13] a Lei,
   signor Carli?
Carli: Farò come desiderano Loro, ma quest'affare mi rat-
   trista molto.
Barone: Tutti d'accordo! A domani!
Narratore: Il giorno seguente, alle sette in punto, i tre signori
   s'incontrano[14] alla stazione ferroviaria. Essi vanno insieme
   al finestrino dei biglietti.
Conte: Un biglietto per Monteverde.
Impiegato: Un biglietto di andata e ritorno?
Conte: Sí, di andata e ritorno.
Impiegato: Ecco, signore. Settecento lire.
Conte: Grazie!
Impiegato: Prego, signore.
Carli: Un biglietto per Monteverde.
Impiegato: Di andata e ritorno?
Carli: Sí, per piacere.
Impiegato: Ecco, signore. Settecento lire.
Barone: Un biglietto per Monteverde anche per me.
Impiegato: Anche Lei desidera un biglietto di andata e
   ritorno?
Barone: No, un biglietto semplice; solo di andata.
Impiegato: Ecco, signore. Trecentocinquanta lire.
Barone: Grazie.
Impiegato: Prego, signore.
Narratore: I tre signori vanno verso il binario, ma in disparte
   il signor Carli parla al Barone.
Carli: Signor Barone, ho notato[15] che Lei ha comprato[16] un
   biglietto semplice, solo di andata. È Lei cosí certo che non
   ritornerà; è convinto[17] che Lei morirà in questo duello?

Barone: Ma che dice Lei, signor Carli? Le assicuro[18] che io non morirò e che ritornerò come sempre; sí, come sempre: usando[19] il biglietto di ritorno del mio avversario. Questa volta userò il biglietto di ritorno del Conte.

Carli: (*in disparte e sottovoce*) Incredibile! Incredibile!

Noi lettori: Incredibile davvero! Che fandonia!

[1] a friend of theirs   [2] tries to calm them   [3] it ends up   [4] the latter
[5] your   [6] I challenge you   [7] for having   [8] he has challenged me
[9] will you act as a second   [10] saddens me, grieves me   [11] at precisely
seven o'clock   [12] we shall meet   [13] will it be convenient   [14] they
meet, they meet each other   [15] I have noticed   [16] you have bought
[17] are convinced   [18] I assure you   [19] by using

Esercizi

I. Per la Comprensione. Formare delle proposizioni conformi al contenuto della lettura.

1. sono / i tre / italiano / in un ristorante / signori
2. seduti / essi / ad una tavola / sono
3. è / uno / Barone / Conte / un altro / è
4. Carlo Carli / del Barone / è / e del Conte / un amico
5. sfida / il Barone / a duello / il Conte
6. accetta / del Barone / la sfida / il Conte
7. per il duello / delle pistole / di usare / decidono
8. faranno (they will have) / deserto / il duello / in un luogo
9. il luogo / venti miglia / dalla città / lontano / è
10. in treno (by train) / fino al villaggio / andranno (they will go) / di Monteverde
11. Carlo Carli / presente / sarà (will be) / al duello
12. i tre signori / alla stazione / s'incontrano / ferroviaria
13. Carlo Carli / comprano / ed il Conte / di andata e ritorno / dei biglietti
14. semplice / il Barone / un biglietto / compra
15. il Barone / certo / è / che ritornerà
16. per ritornare / il biglietto / il Barone / di ritorno / del Conte / userà
17. economo / l'aristocratico / il Barone / è
18. noi lettori / crediamo / questo racconto / non

II. Per Imparare i Vocaboli. Per ogni vocabolo nella colonna **A**, trovare nella colonna **B** la parola alla quale è collegato per derivazione.

A	B
1. calma	*a.* ritornare
2. cambiamento	*b.* sfidare
3. incredibile	*c.* calmare
4. insulto	*d.* cambiare
5. lettore	*e.* insultare
6. rattristare	*f.* credere
7. ritorno	*g.* voce
8. sfida	*h.* lettura
9. sottovoce	*i.* triste (sad)

III. Per Imparare la Grammatica. Completare le frasi con la forma conveniente del verbo **fare**, tempo futuro.

A. fare to do   **un favore** a favor
    il compito the homework   **buone azioni** good deeds

1. Ragazzi, quando ____ il compito?
2. Noi ____ il compito piú tardi.
3. Purtroppo, certi ragazzi non ____ il compito.
4. Chi ____ il favore a Gianni?
5. Sono sicuro che Martino ____ il favore.
6. Martino e Gino ____ sempre delle buone azioni.

B. fare to make   **il maglione** the sweater
    la veste the dress   **degli sbagli** some mistakes

1. Maria, ____ tu la veste?
2. Oh no, la mamma ____ la veste.
3. E chi ____ il maglione?
4. Le cugine ____ il maglione.
5. E che ____ voi? Degli sbagli?
6. Sí, noi ____ degli sbagli.
7. Allora anche Maria ____ degli sbagli.

Capitolo diciassettesimo

Punto principale di grammatica

Il superlativo assoluto. (The absolute superlative.)

Aggettivi:	alto	*altissimo*	very tall, extremely tall
	gentile	*gentilissimo*	very kind, extremely kind
Alcuni avverbi:	male	*malissimo*	very bad, very badly
	bene	*benissimo*	very well
	molto	*moltissimo*	very much
	poco	*pochissimo*	very little

Notare: **moltissimi(e)** very many; **pochissimi(e)** very few

I vocaboli

arte (*f.*) art
attualmente presently, at the
  present time
colore (*m.*) color
come like, as
corto short, brief
culla cradle
elettricità electricity
frontiera border, frontier
generalmente generally
importante important
infine finally; *also:* in fine

irrigazione (*f.*) irrigation
locale (*m.*) location, site
lunghezza length
meraviglia marvel, wonder
navigabile navigable
nondimeno nevertheless
pendente leaning
poco (*see Esp.*)
produzione (*f.*) production
storicamente historically
torre (*f.*) tower
uso use

Le espressioni

di: **i piú famosi fiumi del mondo** the most famous rivers in the world
per: (1) **per lunghezza** in respect to length, for its length
     (2) **passa per Firenze** it passes through Florence
poco: **il fiume è poco navigabile** the river is not very navigable

I fiumi d'Italia

I fiumi d'Italia sono moltissimi ma generalmente sono cortissimi e poco navigabili. I maggiori usi delle acque dei fiumi italiani sono per l'irrigazione e per la produzione dell'elettricità. Il fiume piú lungo ha il nome piú corto, cioè, il Po. Questo fiume ha una lunghezza di 320 miglia e nasce[1] vicino alla frontiera fra l'Italia e la Francia. Il Po va dall'ovest all'est, passa per la città di Torino, e quando arriva a Cremona diventa alquanto largo. Infine va a sboccare[2] nell'Adriatico al sud della città di Venezia.

Dopo il Po, per lunghezza, c'è il fiume Adige, che ha una lunghezza di 250 miglia. L'Adige nasce nelle Alpi del Trentino[3] e passa per Trento e per Verona, la città che voi conoscete come il locale della tragedia di Giulietta e Romeo.

Il fiume Tevere è uno dei famosissimi fiumi del mondo. Questo fiume passa per la città di Roma e quindi non si parla[4] di Roma se non si parla del Tevere. Forse voi ricordate la storia di Romolo e Remo che essendo stati buttati[5] nel fiume, nondimeno, arrivarono in salvo[6] dalle acque del Tevere. L'acqua di questo fiume ha un colore giallastro[7] e quindi è spesso chiamato "il biondo Tevere." Da Roma fino al Mar Tirreno il Tevere è alquanto navigabile.

Come il Tevere, anche il fiume Arno è famosissimo perché passa per Firenze e Pisa, due città storicamente cd attualmente importantissime. L'Arno nasce negli Appennini e nel suo[8] corso passa prima per Firenze, "la culla delle arti," e poi per la città di Pisa, che, certo, voi ricordate per la sua Torre Pendente, una delle sette meraviglie del mondo.

Come abbiamo detto,[9] gli altri fiumi sono moltissimi ma generalmente sono di pochissima importanza eccetto per la produzione dell'elettricità e per l'irrigazione.

---

[1] rises, originates (*literally:* is born)   [2] to empty, to flow, to open (like a mouth)   [3] a region in northeast Italy   [4] one does not speak
[5] Romulus and Remus having been cast   [6] reached safety   [7] yellowish (giallo = yellow)   [8] its   [9] we have said

Esercizi

I. Per la Comprensione. Rispondere alle domande, prima in italiano e poi in inglese.

1. Quanti sono i fiumi d'Italia?
2. Generalmente, come sono i fiumi d'Italia?
3. Generalmente, per che sono usati (are used) i fiumi italiani?
4. Quale fiume è il piú lungo?
5. Quale fiume traversa tutta l'Italia del nord?
6. Per lunghezza, qual è il secondo fiume?

7. Per quale città passa l'Adige?
8. Quale tragedia ebbe luogo (took place) nella città di Verona?
9. Quale fiume passa per la città di Roma?
10. Com'è chiamato il Tevere? Perché?
11. Quale fiume passa per la città di Firenze?
12. Com'è chiamata Firenze?
13. Quale città è famosa per la sua Torre Pendente?
14. Quale fiume passa per la città di Pisa?

II. Per Imparare i Vocaboli.

A. Per ogni vocabolo nella colonna **A**, trovare nella colonna **B** la parola alla quale il vocabolo è collegato per derivazione.

A	B
1. corso	*a*. lungo
2. frontiera	*b*. largo
3. infine	*c*. correre (to run)
4. larghezza	*d*. bocca (mouth)
5. locale	*e*. il fronte (geographical)
6. lunghezza	*f*. fine
7. sboccare	*g*. luogo

B. Per ogni parola o espressione inglese, trovare la parola o l'espressione italiana.

1. agreed: in disparte in punto d'accordo
2. finally: invece infine invano
3. the time: il luogo adesso l'ora
4. please: preciso permesso per piacere
5. here is: qua ecco là
6. You're welcome! Presto! Prego! Grazie!
7. between: fra fuori con
8. however, in any case: che bello! che fandonia! comunque!

III. Per Imparare la Grammatica.
Cambiare gli aggettivi, ed i pochi (few) avverbi, al superlativo assoluto.

ESEMPIO: La piazza di San Pietro è *grande*. (grandissima)

1. Firenze è una *bella* città.
2. Roma è *importante*.
3. Venezia è *interessante*.

4. Milano è *ricca*.
5. Molte città italiane sono *antiche*.
6. L'Etna è un vulcano *alto*.
7. Molti fiumi d'Italia sono *piccoli*.
8. I fiumi lunghi sono *pochi*.
9. Eppure, in Italia ci sono *molti* fiumi.
10. Cominciamo a parlare italiano *bene*.
11. Egli parla ancora *male*.
12. Non parla bene ma parla *forte*.

Capitolo diciottesimo

Punto principale di grammatica

Il verbo essere, tempo futuro.

essere   to be

io sarò I shall be, I will be	noi saremo we shall be
tu sarai you will be	voi sarete you will be
egli sarà he will be	essi saranno they will be

I vocaboli

antipasto   appetizer
apparecchiare   to set (a table)
argenteria   silverware
attento   careful
bicchiere (m.)   drinking glass
brillare   to shine
brocca   pitcher
burro   butter
carne (f.)   meat
coltello   knife
contabile (m.)   bookkeeper
contorno   side dish
contrattempo   mishap, disappointment, "hitch"
cucchiaino   teaspoon
cucchiaio   spoon
destra   right (see Esp. a)
ditta   firm, company
dolce (m.)   dessert
eccellente   excellent
figura   figure, appearance (see Esp. fare)
forchetta   fork
ghiacciato   iced

ispezionare   to inspect
lieto   happy, glad (see Esp. di)
lusso   luxury (see Esp. di)
mancare   to be missing, to be lacking
minestrone (m.)   vegetable soup
pepaiola   pepper-shaker
piattino   saucer
piatto   dish, plate
preparazione (f.)   preparation
principale (m.)   employer, boss
riapparecchiare   to reset
rompere   to break
saliera   saltshaker
scodella   soup plate
sinistra   left (see Esp. a)
stendere   to spread
tavolo   table, worktable
tazza   cup
tovaglia   tablecloth
tovagliolo   napkin
vasellame (m.)   crockery, dinnerware
zuccheriera   sugar bowl
zucchero   sugar

Le espressioni

a: (1) **essere a pranzo** to be dining
    (2) **a destra** on the right; **a sinistra** on the left
da: **da noi** at our house; with us
di: **di lusso** "swanky," "good"; **essere lieto di aiutare** to be glad to help
fare: **fare buona figura** to look good, to make a good appearance
in: **portare in tavola** to bring to the table

La tavola

> While helping her mother prepare for a very special dinner, Gina Ginori
> gets an opportunity to review the correct way of setting a table.

Madre: Gina, sai che oggi il signor Perini, il principale del
  babbo, sarà a pranzo da noi?
Gina: Sí, mamma, lo so.[1] E so anche che il signor Perini è
  molto gentile con il babbo.
Madre: S'intende,[2] giacché egli sa bene quanto è bravo il tuo
  babbo. Difatti, nella ditta, tutti sanno che tuo padre è un
  contabile eccellente.
Gina: Come lo sappiamo anche noi, qui, a casa.
Madre: Appunto. Ora senti,[3] Gina, oggi la nonna ed io
  saremo molto occupate a . . . .
Gina: Capisco, capisco: voi sarete occupate con la prepa-
  razione del pranzo. Io sarò lieta di aiutare.
Madre: Allora, sarai tanto brava da[4] apparecchiare la tavola?
  Ecco la tovaglia ed i tovaglioli.
Gina: Sono bellissimi davvero. Certo, useremo il vasellame
  e l'argenteria speciali?
Madre: Appunto. Sai dove sono?
Gina: Sí, mamma, so dove sono.
Narratore: Gina stende la tovaglia e comincia ad apparecchiare la tavola. Mette prima i piatti per la carne e per il
  contorno. Su ogni piatto mette una scodella per il minestrone e su ogni scodella mette un piatto piú piccolo per
  l'antipasto. A destra dei piatti mette due coltelli, uno per
  la carne e l'altro per il burro. A sinistra mette due forchette.

Ed ora è in dubbio; non è sicura dove mettere i cucchiai
ed i cucchiaini.

Gina: Mamma, dove vanno i cucchiai ed i cucchiaini? A
destra o a sinistra dei piatti?

Madre: A destra.

Gina: (*Dopo pochi minuti*) Ed ora, dove preferisci i tovaglioli? Sui piatti?

Madre: No, a destra dei piatti, sotto i coltelli.

Gina: (*Dopo pochi minuti*) Tutto fatto.[5] Ed ora i bicchieri!

Madre: Vieni[6] in cucina. I bicchieri sono sul tavolo.

Gina: (*Va in cucina alcune volte e porta in tavola pochi
bicchieri alla volta.*) I bicchieri sembrano molto fragili; ma
sono belli, e come brillano!

Madre: Attenta, Gina!

Gina: Non aver paura![7] Sarò attenta; non ne[8] romperò.
(*Dopo pochi minuti*) Mamma, la tavola è pronta! Vieni a
vedere; spero che sarai contenta.

Madre: (*Ispeziona la tavola*) Bene! Fa una bella figura, non
è vero?

Gina: Bellissima figura!

Madre: Oh, oh! Ci mancano[9] le saliere e le pepaiole.
Gina: Oh, scusa[10] mamma: ecco, ecco fatto.
Madre: Grazie, Gina! All'ora del pranzo metterai la brocca
piena d'acqua ghiacciata.
Gina: Non preoccuparti![11] Sarò pronta a fare tutto, anche a
riapparecchiare la tavola quando saremo pronti per il caffè
ed il dolce: metterò in tavola le tazze, i piattini, la zuccheriera, eccetera, eccetera.
Madre: Brava, Gina. Spero che non ci sarà nessun contrattempo.
Gina: Ma che contrattempo?
Madre: Non si sa mai.[12] Non si sa mai.

[1] I know it   [2] it is understandable   [3] listen! (*command*)   [4] will
you be so good as to...   [5] All done!   [6] come (*command*)   [7] have
no fear, don't be afraid   [8] any of them   [9] there are missing
[10] (*command form*)   [11] Don't worry!   [12] One never knows.

Esercizi

I. Per la Comprensione

A. Formare delle proposizioni conformi al contenuto della lettura.

1. la persona / a pranzo / invitata (invited) / il signor Perini / è
2. il principale / il signor Perini / del signor Ginori / è
3. con il signor Ginori / è / il signor Perini / gentile / molto
4. il padre / eccellente / di Gina / è / un contabile
5. di Gina / la madre / saranno / e la nonna / molto occupate
6. esse / speciale / un pranzo / preparano
7. Gina / di apparecchiare / promette / la tavola
8. la madre / lieta / sarà / di aiutare / Gina
9. sulla tavola / Gina / la tovaglia / stende
10. oggi / di lusso / il vasellame / useranno / e l'argenteria

B. Rispondere alle domande prima in italiano e poi in inglese.

1. Dove mette i coltelli, a destra o a sinistra dei piatti?
2. Dove mette le forchette, a destra o a sinistra dei piatti?
3. Dove mette i cucchiai ed i cucchiaini?
4. Dove mette i tovaglioli?
5. Come sono i bicchieri?
6. Che dimentica di mettere in tavola, Gina?

7. Come sarà l'acqua che Gina porterà in tavola?
8. Chi porterà in tavola le tazze ed i piattini per il caffè?
9. Che figura fa la tavola tutta apparecchiata?
10. Chi spera che non ci sarà qualche contrattempo?

II. Per Imparare i Vocaboli. Completare ciascuna frase con un vocabolo collegato per derivazione alla parola in corsivo.

1. La persona che fa i *conti* (accounts) si chiama computista oppure ____ .
2. Il servizio da pranzo, d'*argento*, si chiama ____ .
3. Il piccolo recipiente per il *sale* si chiama la ____ .
4. Il piccolo recipiente per il *pepe* si chiama la ____ .
5. Il recipiente per lo *zucchero* si chiama la ____ .
6. Il piccolo *cucchiaio* per prendere il caffè si chiama il ____ .
7. Il piccolo *piatto* che va sotto la tazza si chiama il ____ .
8. I ____ sono piú piccoli della *tovaglia*.

III. Per Imparare la Grammatica

A. Completare le frasi con la forma conveniente del verbo **sapere**, tempo presente. (Vedere p. 55 per le forme.)

Notare: **sapere qualche cosa**   to know something
saper fare qualche cosa   to know how to do something

1. Scusate, ma voi ____ o non ____ la risposta?
2. Certo che noi ____ la risposta.
3. Dopo tutto, chi non ____ una risposta cosí facile?
4. Forse tutti gli altri ____ la risposta; ma io no.
5. Gianni, perché non ____ la risposta?
6. Io non ____ la risposta perché non ____ nemmeno la domanda.
7. Signorina, Lei ____ suonare il pianoforte (piano)?
8. No, ma io ____ suonare il violino.
9. Ragazzi, ____ nuotare molto bene?
10. Noi ____ nuotare ma non molto bene.

B. Completare le frasi con la forma conveniente del verbo **essere**, tempo futuro.

1. Spero che voi ____ pronti fra breve.
2. Oh sí, noi ____ pronti fra pochi minuti.
3. Martino, anche tu ____ pronto come gli altri?
4. Io ____ pronto prima degli altri.
5. Anche Gina ____ pronta fra breve?
6. Sí, noi tutti, ragazzi e ragazze, ____ pronti.

Capitolo diciannovesimo

Punto principale di grammatica

Verbi della prima coniugazione, tempo passato prossimo (present perfect tense).

Singolare	*Plurale*
io **ho mangiato**	noi **abbiamo mangiato**
tu **hai mangiato**	voi **avete mangiato**
Lei **ha mangiato**	Loro **hanno mangiato**
egli **ha mangiato**	essi **hanno mangiato**

Significati. **Io ho mangiato** I have eaten, I did eat, I ate, ecc.

I vocaboli

barbiere (*m.*) barber
basato based
campanello bell, doorbell
capace capable, able
carota carrot
cognome (*m.*) last name, family name, surname
cugino cousin (male)
durare to last
fagiolino string bean
fidanzamento engagement
forno oven (*see Esp.* a)
frutta fruit; **frutta fresca** fresh fruit; **frutta secca** nuts
gusto taste; **con gusto** with pleasure
insalata salad
invito invitation
mangione (*m.*) big eater
nomignolo nickname
pane (*m.*) bread
patata potato

pezzo piece
pisello pea
presentazione (*f.*) introduction
ragione (*f.*) reason
reputazione (*f.*) reputation
restare to remain, to be left over
ricevimento reception
rifiutare to refuse
roba stuff
saluto greeting
sazio satiated, full
schiaccianoci (*m.s.* and *pl.*) nutcracker
secco dry; **frutta secca** nuts (*literally*, dry fruit)
sparire to disappear
spiegare to explain
squisito delicious
telefonare a to telephone
torta cake
zucchero sugar

Le espressioni

a: (1) **sedersi a tavola** to sit at the table
   (2) **carne al forno** roast, roast meat
   (3) **non dura a lungo** it does not last long
di: **l'ora di prendere il caffè** the time to have coffee
per: **per dire la verità** to tell the truth

Il mangione

Just as Mrs. Ginori feared, a "hitch" does arise. At the very last minute Mr. Perini telephones to say he cannot come to dinner because of an accident. Mr. Ginori gets the bright idea of inviting his barber, a man known for his extraordinary appetite, to do justice to the food.

Signora G.: Giovanni, hai telefonato al barbiere?

Signor G.: Sí, cara, ho telefonato.

Signora G.: Ha accettato l'invito il barbiere?

Signor G.: Sí, ha accettato; ma dice che non sa se mangerà molto perché ha già mangiato.

Signora G.: Ah, ecco; qualcuno ha suonato il campanello. Certo, sarà[1] il signor. . . . Come si chiama il barbiere?

Signor G.: Mangione, Michele Mangione.

Signora G.: Mangione! Sei sicuro che è il vero nome? Forse è un nomignolo basato sulla sua[2] reputazione.

Signor G.: No, non è un nomignolo; è il vero nome.

Narratore: Gina va ad aprire la porta. È veramente il signor Mangione. Dopo le presentazioni ed i soliti saluti, tutti si siedono[3] a tavola, sette persone in tutte, cioè: Gina ed il fratello maggiore, il nonno e la nonna, la madre ed il padre, ed il barbiere.

Signor M.: Signora Ginori, se non mangio abbastanza, Lei non deve offendersi[4] perché, come ho spiegato al signor Ginori, io ho già mangiato.

Signor G.: Caro signor Mangione, le donne hanno preparato un pranzo squisito, cosí squisito che sono sicuro tutti mangeremo con gusto. Ecco l'antipasto.

Signor M.: Grazie, grazie! Umm, è buonissimo; ne[5] prenderò un altro poco.

Signora G.: Piú Lei ne mangia, piú mi fa piacere.[6]

Narratore: E cosí, con l'eccellente aiuto del barbiere finiscono tutto: l'antipasto, il minestrone, la carne al forno, il contorno (di piselli, fagiolini, patate, e carote) ed una buona quantità di pane e burro. Anche l'insalata non dura a lungo. Poi arriva in tavola la frutta secca. Con l'aiuto d'un forte schiaccianoci, il barbiere fa sparire[7] tutto. Con la frutta fresca è la stessa storia; il barbiere ne mangia una gran[8] parte.

Dopo un po' di conversazione, arriva l'ora di prendere il caffè e di mangiare il dolce, una bella torta preparata dalla nonna.

Signor G.: Io non mangio mai roba dolce; difatti prendo il caffè senza zucchero. E Lei, signor Mangione, mangia dolci?

Signor M.: Per dire la verità, signor Ginori, io ho sempre mangiato tutto; non ho mai rifiutato niente.

Narratore: E cosí, prendono il caffè e mangiano la torta. Ma non la finiscono tutta. Ne resta un piccolo pezzo.[9] La signora Ginori incoraggia il barbiere. . . .

Signora G.: Signor Mangione, perché non mangia l'ultimo pezzo di torta? Non è molta.

Signor M.: Questa volta devo[10] rifiutare.

Signor G.: Ma che dice, signor Mangione? Lei non è capace di mangiare questo piccolo pezzo di torta? Allora, Lei è completamente sazio.

Signor M.: Ma no! Non è quella la ragione.

Signor G.: Scusi, ma qual è la ragione?

Signor M.: La ragione è che stasera sono invitato al fidanzamento d'un cugino. Ci sarà un piccolo ricevimento. Quindi, non mangio di piú adesso perché desidero mangiare qualche cosa anche stasera.

[1] *trans.* it must be   [2] his   [3] all sit down   [4] you must not become offended   [5] of it   [6] the more you will please me   [7] makes everything disappear.   [8] gran = grande   [9] There remains a little piece of it. (A little piece of it is left over.)   [10] must, I have to

Esercizi

I. **Per la Comprensione.** Formare delle proposizioni conformi al contenuto della lettura.

1. il signor Ginori / al barbiere / ha telefonato / a pranzo / per invitarlo
2. l'invito / il barbiere / con piacere / ha accettato
3. purtroppo / già / ha mangiato / il barbiere
4. non mangerà / quindi / il barbiere / molto
5. Mangione / un nomignolo / non è / del barbiere
6. del barbiere / Mangione / il vero nome / è
7. hanno preparato / le donne / molto squisito / un pranzo
8. l'antipasto / prima / mangiano
9. il barbiere / l'antipasto / dice che / molto buono / è
0. perciò / di piú / ne prende / il signor Mangione
1. poi / il minestrone / mangiano
2. dopo il minestrone / la carne / mangiano / ed il contorno
3. poi / la frutta secca / mangiano / e la frutta fresca
4. con l'eccellente / del barbiere / aiuto / tutto / finiscono

15. Gina / la tavola / per il caffè / apparecchia / ed il dolce
16. il signor Ginori / roba dolce / mai / non mangia
17. il signor / tutto / sempre / ha mangiato / Mangione
18. egli / niente / mai / non / ha rifiutato
19. il barbiere / della torta / pezzo / l'ultimo / rifiuta
20. di piú / adesso / non mangia / stasera / perché / mangiare / desidera

II. Per Imparare i Vocaboli

A. Per ogni vocabolo italiano nella colonna **A**, trovare nella colonna **B** la parola inglese alla quale è collegato per derivazione.

A	B
1. capace	*a.* receive
2. durare	*b.* excellency
3. eccellente	*c.* capacity
4. nome	*d.* salutation
5. porta	*e.* duration
6. ricevimento	*f.* nomination
7. saluto	*g.* exquisite
8. squisito	*h.* portal

B. Per ogni parola o espressione inglese, trovare la parola o espressione italiana.

1. perhaps: ma cosí forse
2. sure: volta sicuro senza
3. same: lo stesso la cosa l'ultimo
4. precisely: appunto a proposito con gusto
5. someone: nessuno qualcuno ciascuno
6. a little bit: un po' abbastanza alcuni
7. too much: troppo quanto molti
8. in fact: infine infatti (difatti) in punto
9. usual: solito soldo sempre
10. while: affatto mentre quando

III. Per Imparare la Grammatica. Completare le frasi con la forma conveniente del verbo indicato, tempo passato prossimo.

cantare   1. Signorina, come ____ Lei, stasera?
2. Io ____ molto male, come al solito.
3. Non è vero, ella ____ molto bene.

suonare   4. Elena, al ricevimento tu ____ il pianoforte?

          5. No, io non ____ affatto.

          6. Mio fratello ____ la fisarmonica (accordion).

giocare   7. Ragazzi, ____ alla palla oggi?

          8. Sí, noi ____ tutto il pomeriggio.

          9. Difatti, anche le ragazze ____ con noi (us).

comprare 10. Maria, che ____ tu per la mamma?

         11. Mario ed io ____ dei cioccolatini.

         12. Il babbo ____ dei fiori.

ordinare 13. Signori, che ____ Loro?

         14. Noi ____ della carne al forno.

         15. Essi, però, ____ del pesce.

Capitolo ventesimo

Punto principale di grammatica

I verbi regolari della seconda coniugazione, tempo passato prossimo:
combattere *to fight.*

Singolare	*Plurale*
io **ho combattuto**	noi **abbiamo combattuto**
tu **hai combattuto**	voi **avete combattuto**
Lei **ha combattuto**	Loro **hanno combattuto**
egli **ha combattuto**	essi **hanno combattuto**

Significati. **Io ho combattuto** I have fought, I fought, I did fight, ecc.

I vocaboli

azione (*f.*)   deed, action
battere   to beat, to strike
bestia   beast, animal; **bestiola**   little beast, little animal
bussa   blow, knock (*see Esp.* **busse**)
cattivello   bad little boy (*see Esp.* **fare**)
cattivo   bad, evil
coda   tail
conoscere   to know (persons), to recognize; *p.p.* **conosciuto** recognized

gatto   cat
giocare   to play
male (*m.*)   evil
meno   less (*see Esp.* **meno**)
rimprovero   scolding
sbaglio   mistake, error
stamattina   this morning
tempo   time
tenere   to hold
tirare   to pull
tormentare   to torment

Le espressioni

a: (1) **cominciare a parlare**   to begin to speak
    (2) **telefonare a qualcuno**   to telephone someone
busse: ricevere delle busse   to get a beating
fare: (1) **fare il cattivello**   to be a bad little boy, to be a brat
    (2) **fare lo spiritoso**   to be witty
meno: meno male   fortunately, it is a good thing (also: **menomale**)
volta: un'altra volta   once more, once again

Il cattivello spiritoso

It is not easy to correct some children's unacceptable behavior. However, good parents never give up—as we shall see in this conversation between Tonio and his father, who is keen on correcting his son.

Padre: Tonio, Tonio! Quanti rimproveri hai ricevuto per aver[1] tormentato delle povere bestiole?

Tonio: Purtroppo molti! Sí, ho ricevuto molti rimproveri, e certe volte ho ricevuto anche delle busse.

Padre: Eppure, oggi ho saputo[2] che hai fatto[3] il cattivello un'altra volta. .

Tonio: Io? Io ho fatto il cattivello?

Padre: Sí, sí. Hai ripetuto una delle tue[4] cattive azioni: hai battuto una bestiola.

Tonio: Oh no, babbo! Ultimamente[5] non ho battuto nessuna bestiola.

Padre: Purtroppo sí; stamattina hai battuto un gatto.

Tonio: Io ho battuto un gatto? Io?

Padre: Sí, sí, tu; tu hai battuto un gatto. Il signor Occhisani ti[6] ha veduto.

Tonio: Forse il signor Occhisani ha sbagliato; forse ha scambiato[7] qualche altro ragazzo per me.

Padre: Niente affatto;[8] non c'è sbaglio. Egli ha ripetuto varie volte che eri proprio tu.[9] Ti ha conosciuto senza dubbio e non ha perduto tempo a telefonarmi.[10]

Tonio: Il signor Occhisani mi ha veduto? Ma dove? Ma quando?

Padre: Stamattina, poco lontano[11] dalla scuola.

Tonio: Ah, ora capisco, ora capisco.

Padre: Ah, meno male, cominci a dire la verità.

Tonio: È vero, stamattina, andando[12] a scuola, ho trovato un gatto ed ho giocato con esso[13] per pochi minuti.

Padre: Giocato! Hai giocato! Tu hai tirato la coda a quel povero gatto.[14]

Tonio: Ah, ora vedo lo sbaglio. Il signor Occhisani ha fatto[15] uno sbaglio davvero.

Padre: Che sbaglio ha fatto?

Tonio: Quando il signor Occhisani mi ha veduto giocare[16] con il gatto, egli ha creduto che io tirassi[17] la coda al gatto.

Padre: Allora, è vero che tu hai tenuto il gatto per la coda?

Tonio: Sí, è vero che ho tenuto il gatto per la coda; ma non gli ho tirato la coda.[18]

Padre: Ma il signor Occhisani ha ripetuto varie volte che il gatto ha miagolato forte.[19]

Tonio: Eppure io non ho tirato la coda a quel gatto. Sí, l'ho[20] tenuto per la coda, è vero; ma ripeto, non gli ho tirato la coda. È stato[21] il gatto che ha tirato me.

Padre: Perbacco![22] Cattivello, fai anche lo spiritoso! Oggi un rimprovero non basterà; desideri proprio delle busse.

---

[1] for having   [2] *trans.* I have learned, I have found out (*literally:* I have known)   [3] you have been   [4] your   [5] lately   [6] you   [7] he mistook (*literally:* he exchanged)   [8] not at all! in no way!   [9] it was really you, you were really the one   [10] in telephoning me   [11] a little distance   [12] while going   [13] it (animal)   [14] You pulled that poor cat's tail   [15] has made, made   [16] playing   [17] I was pulling   [18] I did not pull its tail   [19] it mewed loudly   [20] l'ho = lo ho (l'ho tenuto I held it)   [21] it was   [22] By Jove! (*literally:* **Per Bacco!** By Bacchus!)

Esercizi

I. Per la Comprensione

A. Rispondere alle domande, prima in italiano e poi in inglese.

1. Chi ha ricevuto dei rimproveri?
2. Quanti rimproveri ha ricevuto egli?
3. Da chi ha ricevuto egli i rimproveri?
4. È vero che egli ha ricevuto anche delle busse?
5. Che cattive azioni fa egli?
6. Ha fatto il cattivello anche oggi?
7. Secondo il padre, che animale ha battuto Tonio?
8. Chi ha veduto Tonio quando egli ha tormentato il gatto?
9. Chi ha telefonato al padre di Tonio?
10. È vero che il signor Occhisani ha sbagliato?

B. Formare delle proposizioni conformi al contenuto della lettura.

1. un altro ragazzo / il signor Occhisani / per Tonio / non ha scambiato
2. senza dubbio / egli / Tonio / ha conosciuto
3. egli / Tonio / ha veduto / vicino alla scuola / stamattina
4. ha detto (said) che / la coda / Tonio / al gatto / ha tirato / egli
5. Tonio ammette che / per la coda / ha tenuto / il gatto
6. insiste che / al gatto / la coda / ha tirato / non
7. Tonio dice che / ha tirato / lui (*him*) / il gatto
8. generalmente / Tonio / il cattivello / fa
9. oggi / lo spiritoso / anche / fa / Tonio
10. delle busse / riceverà / Tonio / un rimprovero / perché / non basterà

II. Per Imparare i Vocaboli.
Per ogni vocabolo italiano nella colonna **A**, trovare nella colonna **B** la parola inglese alla quale il vocabolo è collegato per derivazione.

A	B
1. battere	*a.* combat
2. bestia	*b.* maintenance
3. credere	*c.* indubitably
4. dubbio	*d.* malignant
5. giocare	*e.* multitude
6. male	*f.* jocose, joke
7. molti	*g.* bestial
8. tenere	*h.* credit, credence

III. Per Imparare la Grammatica. Completare le frasi con la forma conveniente del verbo **ricevere**, tempo passato prossimo.

ricevere to receive   **fiori** flowers
regali presents   **auguri** greetings

1. Gianni, quanti regali ____ tu?
2. Purtroppo, io non ____ nessun regalo.
3. Egli, però, ____ molti auguri.
4. Ma voi ____ sempre molti regali.
5. Noi ____ dei regali ma non molti.
6. Signorina, ____ Lei auguri?
7. Io ____ dei fiori e degli auguri.
8. Le cugine, però, ____ regali e fiori.
9. Signori, ____ Loro dei regali?
10. Come al solito, noi ____ degli auguri.

Capitolo ventunesimo

I verbi regolari della terza coniugazione, tempo passato prossimo: **capire** *to understand.*

Singolare	*Plurale*
io **ho capito**	noi **abbiamo capito**
tu **hai capito**	voi **avete capito**
Lei **ha capito**	Loro **hanno capito**
egli **ha capito**	essi **hanno capito**

Significati. **Io ho capito** I have understood, I understood, I did understand, ecc.

vocaboli

gricoltore (*m.*) farmer

nnunciatore (*m.*) announcer

ttenzione (*f.*) attention

adere to fall

aldo hot, warm (*see Esp.* **fare**)

ampagna country

ampo field

ominciare to begin

oncetto concept, idea

rba grass

reddo cold (*see Esp.* **fare**)

resco cool (*see Esp.* **fare**)

nverno winter

nevicare to snow

nevicata snowfall

ianta plant

pioggia rain, rainfall (*see Esp.* **di** *and* **niente**)

piovere to rain

pomeriggio afternoon

primavera spring

racconto story

salire to climb, to go up

scendere to go down

scherzo jest, joke (*see Esp.* **per**)

sereno clear, calm

stanotte tonight

storiella little story

termometro thermometer

tirare to pull (*see Esp.*)

vento wind (*see Esp.* **tirare**)

Le espressioni

di: un giorno di pioggia   a rainy day
fare: Che tempo farà?   What weather will it be?   What will the weather be?
    farà caldo   it will be warm, it will be hot
    farà freddo   it will be cold
    farà fresco   it will be cool
per: per scherzo   as a jest; **nemmeno per scherzo**   not even as a joke
tirare: tira vento   the wind is blowing
tutto: tutto il giorno   the entire day, the whole day

Che tempo farà?

Tomorrow little Carolina will be going on a picnic with the family of a class-mate. This evening she is worried about tomorrow's weather because bad weather will cancel the excursion. Her brother Richard and her grand-father tease her about the weather.

Riccardo: Carolina, ho sentito alla radio che domani pioverà.
    Quindi tu non andrai in campagna. Mi dispiace molto,[1] ma
    è vero, domani pioverà.
Carolina: Pioverà, pioverà? Ma[2] che dici? Non è possibile.
    Non vedi com'è sereno il cielo?
Nonno: Sí, ma nella primavera il tempo cambia facilmente.
Riccardo: Desideri sentire che dirà il bollettino? (*Scher-*
    zando[3] *fa finta di essere*[4] *l'annunciatore del bollettino*
    meteorologico.) "Bollettino meteorologico! Stanotte farà
    freddo. Domani mattina tirerà un vento freddo e nevicherà.
    Il termometro scenderà fino a zero.[5] La neve comincerà a
    cadere verso le dieci.[6] Continuerà a nevicare tutto il
    giorno."
Carolina: Riccardo, non parlare[7] cosí, nemmeno per scherzo.
    Eppoi, non siamo nell'inverno; siamo nella primavera.
Nonno: Sí, ma una nevicata nella primavera non è una cosa
    strana.

Carolina: Vento, pioggia, freddo, neve! Ma che dite? Attenzione, adesso! Ecco il vero bollettino.
Annunciatore alla radio: Bollettino meteorologico. Domani, cielo sereno, come oggi. Farà fresco le prime ore del mattino. Poi farà piú caldo; il termometro salirà fino a venticinque[8] gradi durante il pomeriggio.
Carolina: Oh, che piacere! Avete sentito, avete sentito? Domani farà bel tempo, infatti farà caldo; niente pioggia[9] domani.
Riccardo: Abbiamo sentito, abbiamo sentito.
Nonno: Adesso sei felice, Carolina. Niente pioggia, niente pioggia! Eh, voi ragazzi non avete nessun concetto dell'importanza della pioggia.
Riccardo: Oh nonno, abbiamo sempre capito bene che la pioggia è necessaria per le piante nei campi.
Carolina: Com'anche[10] per l'erba e per gli alberi dei giardini.
Nonno: Ma forse non sapete quante volte gli agricoltori desiderano la pioggia, difatti pregano per la pioggia. A proposito[11] degli agricoltori che pregano per la pioggia, volete[12] sentire una storiella molto interessante?

Carolina: Forse abbiamo già udito la storiella.
Nonno: Sono sicuro che non avete sentito questo racconto.
Volete sentirlo adesso?
Riccardo: Vogliamo[13] sentirlo, ma non adesso; forse durante
un giorno di pioggia.

[1] I am very sorry   [2] *not translated*   [3] joking, fooling around   [4] pretends being, pretends to be   [5] $0°$Centigrade = $32°$ Fahrenheit   [6] ten o'clock   [7] don't talk (*command*)   [8] $25°$ Centigrade = $77°$ Fahrenheit   [9] no rain at all, no rain whatsoever   [10] as well as, and likewise   [11] on the subject   [12] do you want   [13] We want

Esercizi

I. Per la Comprensione

A. Rispondere alle domande, prima in italiano e poi in inglese.

1. Chi dice che domani pioverà?
2. Se pioverà, andrà in campagna Carolina?
3. Chi dice che domani non pioverà?
4. Com'è il cielo adesso?
5. Che cambia facilmente nella primavera?
6. Chi fa finta di essere l'annunciatore alla radio?
7. Secondo il finto (fake) bollettino, nevicherà domani?
8. Secondo il finto bollettino, farà freddo domani?
9. Chi dice a Riccardo di non scherzare?
10. Secondo il nonno, che cosa non è strana?

B. Formare delle proposizioni conformi al contenuto della lettura.

1. il vero bollettino / domani / annuncia che / bel tempo / farà
2. difatti / caldo / domani / farà
3. certo / domani / niente pioggia / non ci sarà
4. la pioggia / per le piante / è / e per l'erba / necessaria
5. spesso / per la pioggia / pregano / gli agricoltori
6. una storiella / desidera / il nonno / rispetto alla pioggia / dire
7. adesso / la storiella / Riccardo / non desiderano / e Carolina / sentire
8. desiderano / durante / sentire / un giorno di pioggia / il racconto

II. Per Imparare i Vocaboli

A. Per ogni vocabolo nella colonna A, trovare nella colonna B la parola alla quale è collegato per derivazione.

A	B
1. agricoltore	*a.* campagna
2. campo	*b.* durare
3. durante	*c.* agricoltura
4. neve	*d.* pioggia
5. piovere	*e.* raccontare
6. primavera	*f.* nevicare
7. racconto	*g.* prima

B. Per ogni vocabolo italiano nella colonna A, trovare nella colonna B la parola inglese alla quale è collegato per derivazione.

A	B
1. erba	*a.* ventilation
2. facilmente	*b.* degrade
3. fresco	*c.* tempest
4. grado	*d.* descend
5. scendere	*e.* facility
6. tempo	*f.* herbs
7. vento	*g.* fresh

III. Per Imparare la Grammatica

A. Completare le frasi con la forma conveniente del verbo **preferire**, tempo passato prossimo.

preferire	to prefer	**il caffè**	coffee
di bere	to drink	**il latte**	milk
il tè	tea	**niente**	nothing

1. Carlo, che ____ di bere?
2. Io ____ di bere il latte.
3. E gli altri, che ____ di bere?
4. Il babbo ed il nonno ____ il caffè.
5. La mamma ____ il tè.
6. Certo, voi fanciulli ____ il latte?
7. Sí, noi ____ il latte.

8. E Lei, signorina, che _ _ _ _ di bere?
9. Come la mamma, io _ _ _ _ il tè.
10. La nonna, però, _ _ _ _ di non bere niente.

   B. Completare le frasi italiane.

   1. How is the weather?   Che _ _ _ _ fa?
   2. The weather is fine.   _ _ _ _ bel _ _ _ _ .
   3. No, the weather is not bad.   No, non fa _ _ _ _ .
   4. It is neither cold nor hot.   Non _ _ _ _ né _ _ _ _ né _ _ _ _ .
   5. Then it is cool.   Allora fa _ _ _ _ .
   6. But a bit of wind is blowing.   Ma _ _ _ _ un po' di _ _ _ _ .
   7. In spring, it often rains.   Nella primavera, _ _ _ _ spesso.
   8. At times, there is much rain.   Certe volte, c' _ _ _ _ molta _ _ _ _ .
   9. At times, there is some snow.   Certe _ _ _ _ c'è della _ _ _ _ .
   10. Even in spring it snows.   Anche nella primavera _ _ _ _ .

Capitolo ventiduesimo

Punto principale di grammatica

Sostantivi ed aggettivi che terminano in -co, -ca; -go, -ga e richiedono la h nelle forme plurali. (Nouns and adjectives which end in -co, -ca; -go, -ga and require an h in the plural forms.)

	Sostantivi		Aggettivi	
	(sing.)	(pl.)	(sing.)	(pl.)
(park)	parco	parchi	ricco	ricchi
(lake)	lago	laghi	lungo	lunghi
(bench)	panca	panche	ricca	ricche
(ruler)	riga	righe	lunga	lunghe

vocaboli

albergo hotel
alpino Alpine
antico ancient
bellezza beauty
centrale central
conclusione (f.) conclusion
fertile fertile
forza force, strength; le forze the
  forces (army)
glaciale glacial
grandezza, size, greatness (see
  Esp. per)
gruppo group
impulso stimulus, impetus
intorno around, surrounding
lago lake
Lazio Latium
livello level
Lombardia Lombardy

occupare to occupy
origine (f.) origin
paesaggio landscape
pianura plain (flat country)
profondità depth
profondo deep
riempire to fill; riempito filled
  (see Esp. di)
riva shore
seguito followed
splendore (m.) splendor
stretto narrow
tale such (see Esp.)
terrestre terrestrial (of the earth)
tortuoso winding, crooked
trasformare to transform
turismo tourism
valle (f.) valley
vulcanico volcanic

Le espressioni

di: (1) **ricco di laghi**   rich in lakes
    (2) **stretti di forma**   narrow in form
    (3) **riempiti d'acqua**   filled with water
in: **in maggior parte**   for the greater part
per: **per grandezza**   in size, as to size

I laghi d'Italia

L'Italia è un paese molto ricco di laghi. I laghi d'Italia si dividono[1] in due gruppi. Un gruppo si trova[2] nell'Italia settentrionale,[3] cioè, nel nord d'Italia, a piè[4] delle Alpi. Infatti questi laghi si trovano tutti[5] in Lombardia. L'altro gruppo si trova nell'Italia centrale.

I laghi di maggiore importanza sono quelli[6] dell'Italia settentrionale che sono di origine glaciale. Specificamente si trovano nelle valli delle Alpi da dove vengono[7] le acque che li riempiono.[8]   Di forma, questi laghi sono stretti, lunghi e tortuosi. Sono anche profondi e quindi navigabili. Infatti, uno dei laghi, il Lago di Como, arriva alla profondità di 200 metri[9] sotto il livello del mare.

Fra i numerosi laghi alpini, il piú grande è il Lago di Garda. Per grandezza, il secondo ed il terzo sono il Lago Maggiore ed il Lago di Como, seguiti dal Lago d'Iseo e dal Lago di Lugano. Si sa[10] qual è il piú grande ma non si sa quale sia[11] il piú bello; cioè, sono tutti tanto belli che è difficile dire quale sia il piú bello. Le bellezze delle rive e del paesaggio intorno a questi laghi sono di uno splendore senza pari.[12] Non è strano sentire descrivere uno dei laghi come un paradiso terrestre. In conclusione, la loro[13] bellezza ha dato impulso all'industria del turismo e degli alberghi.

I laghi dell'Italia centrale, in maggior parte, sono di origine vulcanica; cioè, occupano i crateri di antichi vulcani spenti.[14] Quindi tali laghi sono dei crateri riempiti d'acqua; perciò, di

forma, sono rotondi. Tali laghi, come il Lago di Bolsena ed il Lago di Bracciano, si trovano nel Lazio.

Il piú grande dei laghi dell'Italia centrale, il Lago Trasimeno, non è di origine vulcanica e si trova in Umbria. Ricorderemo che sulle rive di questo lago ebbe luogo[15] una grande battaglia tra le forze di Annibale[16] e dei Romani. Il Lago Trasimeno è di cosí poca profondità che gli Italiani pensano di prosciugarlo[17] e di trasformarlo in una pianura fertile. Noi che ammiriamo le bellezze della natura diciamo, "Meno male, non l'hanno fatto[18] ancora."

[1] are divided   [2] is found, is located   [3] northern   [4] at the foot
(piè=piede)   [5] are all located, are all found   [6] those   [7] come
[8] which fill them   [9] One meter equals approximately 3.3 feet; therefore, 200 meters equal approximately 660 feet.   [10] one knows, people know, it is known   [11] is (sia=è)   [12] without equal   [13] their
[14] extinct, dead   [15] took place   [16] Hannibal (*Carthaginian general who crossed the Alps to defeat the Romans at Lake Trasimeno in 217 B.C.*)   [17] to drain it, to dry it up   [18] they have not done it

Esercizi

I. **Per la Comprensione.** Scegliere le parole giuste per completare le proposizioni in conformità col contenuto della lettura. (Choose the correct words to complete the sentences according to the content of the reading selection.)

1. L'Italia ha   (*a*) pochi laghi   (*b*) molti laghi   (*c*) alcuni laghi
2. La parte d'Italia meno ricca di laghi è   (*a*) il nord   (*b*) il centro   (*c*) il sud
3. I laghi di maggiore importanza si trovano   (*a*) in Lombardia   (*b*) nel Lazio   (*c*) in Toscana
4. I laghi che si trovano nelle valli alpine sono   (*a*) larghi e lunghi   (*b*) larghi e tortuosi   (*c*) stretti e lunghi
5. I laghi dell'Italia settentrionale (del nord) sono navigabili perché sono   (*a*) stretti   (*b*) profondi   (*c*) tortuosi
6. Uno dei seguenti non è un lago alpino, cioè   (*a*) il Lago di Como   (*b*) il Lago di Garda   (*c*) il Lago di Bolsena
7. I laghi di origine glaciale si trovano   (*a*) sulle pianure   (*b*) su antichi vulcani   (*c*) fra i monti
8. Per grandezza, il primo lago è   (*a*) il Lago d'Iseo   (*b*) il Lago di Garda   (*c*) il Lago Maggiore
9. Il lago piú profondo dell'Italia settentrionale è   (*a*) il Lago di Como   (*b*) il Lago di Lugano   (*c*) il Lago di Garda
10. In maggior parte, i laghi dell'Italia centrale sono di origine   (*a*) glaciale   (*b*) vulcanica   (*c*) sconosciuta
11. I laghi dell'Italia centrale   (*a*) sono rotondi   (*b*) sono nuovi   (*c*) non sono profondi
12. Il lago ricordato per la battaglia fra Annibale ed i Romani è   (*a*) il Lago di Bracciano   (*b*) il Lago Trasimeno   (*c*) il Lago di Bolsena

II. Per Imparare i Vocaboli

A. Per ogni vocabolo nella colonna **A**, trovare nella colonna **B** la parola alla quale è collegato per derivazione.

A	B
1. alpino	*a.* profondo
2. bellezza	*b.* grande
3. glaciale	*c.* Alpi
4. grandezza	*d.* bello
5. importanza	*e.* vulcano
6. profondità	*f.* importante
7. vulcanico	*g.* ghiaccio (ice)

B. Per ogni vocabolo italiano nella colonna **A**, trovare nella colonna **B** la parola inglese alla quale è collegato per derivazione.

A	B
1. antico	*a.* profundity
2. bellezza	*b.* metric
3. grandezza	*c.* majority
4. maggiore	*d.* embellish
5. metro	*e.* vale
6. piè = piede	*f.* pedestrian
7. profondo	*g.* antiquity
8. splendore	*h.* aggrandize
9. valle	*i.* splendid

III. Per Imparare la Grammatica. Cambiare le seguenti frasi al plurale.

1. Questo parco è grande.
2. Quest'albergo è bello.
3. Questo gioco è interessante.
4. Questo lago è lungo.
5. Questo sacco (sack) è largo.
6. Questo banco è bianco.
7. Quest'ago (needle) è lungo.
8. La panca (bench) è bianca.
9. La banca (bank) è ricca.
10. La brocca è sporca (dirty).
11. La riga (ruler) è lunga.
12. La cuoca (cook) è stanca.

Capitolo ventitreesimo

Punto principale di grammatica

I verbi che terminano in *-care* e *-gare*, tempo futuro.

toccare	to touch	pagare	to pay
io toccherò	noi toccheremo	io pagherò	noi pagheremo
tu toccherai	voi toccherete	tu pagherai	voi pagherete
Lei toccherà	Loro toccheranno	Lei pagherà	Loro pagheranno
egli toccherà	essi toccheranno	egli pagherà	essi pagheranno

Significati. **Io toccherò** I shall touch, I will touch, I am going to touch, ecc.; **Io pagherò** I shall pay, I will pay, I am going to pay, ecc.

I vocaboli

adottare to adopt
aperto open (*see Esp.* a)
cercare to try (*see Esp.* di)
chiesa church (*see Esp.* in)
comitato committee
compaesani fellow townspeople
contenere to contain, to hold
convincere to convince; **convinto** convinced
evidente obvious, evident
fede (*f.*) faith
folla crowd
gente (*f.*) people
mese (*m.*) month

monsignore (*m.*) monsignor
ombrello umbrella
paesano townsman
peccato sin, shame, pity
piano plan
poco little (*adj.*) (*see Esp.*)
possessore (*m.*) owner
preghiera prayer
preparativi (*m. pl.*) preparations
raccolta harvest
siccità drought
stabilito established, appointed
troppi too many (*see Esp.* in)
vita life

Le espressioni

a: **all'aperto** in the open, in open air
di: (1) **cercare di fare qualche cosa** to try to do something
    (2) **piú di due mesi** more than two months

in: (1) **andare in chiesa** to go to church
      (2) **essere in troppi** to be too many
poco: **gente di poca fede** people of little faith
tutti: **noi tutti** all of us; **voi tutti** all of you
andare: **va bene!** very well!; **Come va che . . . ?** How is it that . . . ?
1° primo first, **2° secondo** second, **3° terzo** third
1ª prima first, **2ª seconda** second, **3ª terza** third

Gente di poca fede

Their grandfather finally got the chance to tell Richard and Carolina the story of the severe drought during which farmers and others prayed for rain. The events are retold in a dramatized form.

1° Agricoltore: Che siccità! In vita mia,[1] non ho mai veduto una siccità come questa. Niente pioggia per piú di due mesi.

2° Agricoltore: Una vera sfortuna! Senza pioggia perderemo tutta la raccolta. Che peccato![2] Che peccato davvero!

3° Agricoltore: Abbiamo pregato per la pioggia tante volte, ma sempre invano.

1° Agricoltore: Ho pensato che forse sarà meglio se tutti preghiamo insieme, in massa.[3]

2° Agricoltore: Ma molti di noi abbiamo già pregato insieme, in chiesa, col Monsignore.

3° Agricoltore: Sí, molti; ma non tutti, perché ci sono molti che non vanno mai in chiesa.

1° Agricoltore: Se andiamo in chiesa tutti insieme saremo in troppi; la chiesa non è grande abbastanza per contenere noi[4] tutti.

2° Agricoltore: Allora pregheremo all'aperto.

3° Agricoltore: Una buon'idea! Pregheremo tutti insieme in Piazza Garibaldi.

1° Agricoltore: Ma chi cercherà di convincere il Monsignore di adottare questo piano?

2° Agricoltore: Formeremo un comitato. I membri del comitato cercheranno di convincere il Monsignore.

3° Agricoltore: Non sarà difficile convincere il Monsignore; sono sicuro che sarà d'accordo.

Narratore: E infatti, essendo[5] d'accordo, il Monsignore ed il comitato hanno fatto tutti i preparativi. Il giorno stabilito, tutti i paesani, specialmente i possessori di campi, si sono riuniti[6] in Piazza Garibaldi. Da su una tribuna,[7] il Monsignore ha cominciato a parlare cosí:

Monsignore: Cari compaesani, siamo qui tutti insieme oggi per pregare per la pioggia; e va bene, pregheremo. Eppure sono convinto che pregheremo invano; sí, sono convinto che non pioverà.

1ª Voce nella folla: Ma che dice il Monsignore? Non pioverà?

2ª Voce nella folla: Ma perché parla cosí il Monsignore?

3ª Voce nella folla: Ma perché insiste che non pioverà? Che abbiamo fatto di male?[8]

Monsignore: Sí, cari compaesani, non pioverà perché le preghiere non saranno esaudite.[9]

4° Voce nella folla: Scusi, Monsignore, noi non capiamo. Perché è Lei tanto sicuro che le preghiere non saranno esaudite?

Monsignore: Le preghiere non saranno esaudite perché è evidente che voi siete gente di poca fede.

Molte voci nella folla: Gente di poca fede! Chi? Noi? Noi, gente di poca fede?

Monsignore: Sí, sí, ripeto: è evidente che voi siete di poca fede perché siete venuti[10] a pregare per la pioggia e nessuno[11] di voi ha portato l'ombrello.

---

[1] in all my life   [2] What a shame! What a pity!   [3] en masse (*French*), as a group   [4] us   [5] being   [6] they gathered, they came together   [7] from a speaker's platform   [8] What wrong have we done? What evil have we committed?   [9] will not be granted, will not be answered   [10] you have come   [11] not one

Esercizi

I. Per la Comprensione. Formare delle proposizioni conformi al contenuto della lettura.

1. non / pioggia / hanno avuto / due mesi / per piú di
2. la gente / per / ha pregato / la pioggia / invano / ma
3. un agricoltore / in massa / di pregare / suggerisce (suggests)
4. per contenere / la chiesa / tutta la gente / grande abbastanza / non è
5. un altro / di pregare / agricoltore / all'aperto / suggerisce
6. un comitato / formano / al Monsignore / il piano / per suggerire
7. d'accordo / il Monsignore / con gli agricoltori / è
8. il Monsignore / fanno / ed il comitato / per pregare / i preparativi / in Piazza Garibaldi
9. il giorno / molta gente / stabilito / va / in Piazza Garibaldi
10. il Monsignore / a pregare / è disposto (willing) / dice che
11. però / invano / è convinto / che pregheranno
12. pioverà / convinto / è / che non / il Monsignore

13. esaudite / le preghiere / saranno / non
14. ai compaesani / il Monsignore / senza fede / dice / sono / che essi
15. è evidente / senza / che essi / fede / sono
16. tutti / a pregare / sono venuti (have come) / per la pioggia / ma nessuno / l'ombrello / ha portato

II. Per Imparare i Vocaboli. Per ogni vocabolo nella colonna A, trovare nella colonna B la parola alla quale è collegato per derivazione.

A	B
1. compaesano	*a.* semestre
2. convincere	*b.* signore
3. evidente	*c.* possedere
4. mese	*d.* vedere
5. monsignore	*e.* preparare
6. ombrello	*f.* vincere (to win)
7. possessore	*g.* paese (town)
8. preparativi	*h.* ombra
9. raccolta	*i.* raccogliere (to gather)

III. Per Imparare la Grammatica. Completare le frasi con la forma conveniente del verbo **giocare** o **pregare**, tempo futuro.

A. **giocare** to play   **a scacchi** chess
   a carte cards   **alla palla** ball
   a dama checkers

1. A che _ _ _ _ voi, a dama?
2. Gino ed io _ _ _ _ a scacchi.
3. Pietro e Paolo _ _ _ _ a dama.
4. Chi _ _ _ _ a carte?
5. Nessuno _ _ _ _ a carte.
6. Come va che voi non _ _ _ _ alla palla?
7. Noi non _ _ _ _ alla palla perché pioverà.
8. A che _ _ _ _ Lei, a dama o a scacchi?
9. Io non _ _ _ _ né a dama né a scacchi.
10. Forse Lei _ _ _ _ a carte?

B. **pagare** to pay (for)   **i fiori** the flowers
   i biglietti the tickets   **i cioccolatini** the candy

1. Chi _ _ _ _ i biglietti?
2. Certo, io non _ _ _ _ ; non ho denaro.

3. Allora Martino ____ i biglietti.
4. E va bene, ____ io i biglietti.
5. Ma voi ____ i cioccolatini.
6. Sí, va bene, noi ____ i cioccolatini.
7. I gemelli non ____ né i biglietti né i cioccolatini.
8. Scusi, signore, ____ i fiori adesso?
9. Sí, io ____ i fiori adesso.
10. Ci sono delle persone che non ____ niente.

Capitolo ventiquattresimo

Punto principale di grammatica

Alcuni verbi coniugati col verbo ausiliario **essere**, tempo passato prossimo. (Some verbs conjugated with the auxiliary verb **essere** in the present perfect tense.)

andare to go	**essere** and **stare** to be
io **sono andato(a)**	io **sono stato(a)**
tu **sei andato(a)**	tu **sei stato(a)**
Lei **è andato(a)**	Lei **è stato(a)**
egli **è andato**	egli **è stato**
essa **è andata**	essa **è stata**
noi **siamo andati(e)**	noi **siamo stati(e)**
voi **siete andati(e)**	voi **siete stati(e)**
Loro **sono andati(e)**	Loro **sono stati(e)**
essi **sono andati**	essi **sono stati**
esse **sono andate**	esse **sono state**

Significati. 1. **Io sono andato** I have gone, I did go, I went, ecc.

2. **Io sono stato** I have been, I was, ecc.

Altri verbi come **andare**: **entrare, ritornare, tornare; cadere, scendere (sceso); partire, riuscire, salire, uscire, venire (venuto)**

I vocaboli

accadere   to happen, to take place
bove (*m.*)   ox (*also:* **bue**)
cancellare   to erase
ciascuno   each, each one
comico   comical
direttore (*m.*)   principal
direttamente   directly, straight
educato: mal educato   ill-bred
faccia   face (*see Esp.* in)
incidente (*m.*)   incident
intorno   around (*see Esp.*)
lavagna   blackboard
matematica   mathematics
minuto   minute

parola   word
paura   fear (*see Esp.* avere)
poesia   poem, poetry
recitare   to recite
riso   laughed
ritardo   delay
riuscire   to succeed
scritto   written; **ha scritto**   he wrote
straordinario   extraordinary
succedere   to happen; **successo** happened
tornare   to return
uscire   to go out, to come out

Le espressioni

a: (1) **ritornare a casa** to return home
 (2) **al contrario** on the contrary
 (3) **guardare a noi** to look at us (in our direction)
avere: **aver paura** to be afraid
bravo: **Bravi!** Good for you! **Bravo il signor Tommasi!** Good for . . .!
da: **problemi da risolvere** problems to solve (to be solved)
di: **niente di straordinario** nothing unusual, nothing extraordinary
educato: **un ragazzo mal educato** an ill-bred boy; **un maleducato** an ill-bred person
in: **farsi rosso in faccia** to get red in the face, to blush
intorno intorno: all around
per: **per eccezione** as an exception, by exception
rosso rosso: very red

Chi è l'asino?

> In school today, the twins Peter and Paul witnessed an incident that proved the truth of the proverb, "He who laughs last laughs best."

Madre: Ah, bravi! Oggi siete tornati dalla scuola senza ritardo.

Pietro: Sí, siamo venuti direttamente a casa.

Madre: Come sono andate le cose a scuola oggi?

Paolo: Tutto è andato bene. Ho ricevuto un dieci[1] perché ho recitato molto bene la poesia "Il bove" di Giosuè Carducci.[2]

Pietro: Ed io, per eccezione, sono riuscito a risolvere[3] tutti i problemi nella classe di matematica.

Madre: Ne[4] sono molto lieta. Allora non è accaduto niente di straordinario.

Paolo: Tutto al contrario! Oggi, nella classe di matematica, è accaduto un incidente molto comico.

Madre: Se l'incidente è stato comico lo sentirò volentieri.[5]

Pietro: Comincerò a dirlo[6] io. Durante la lezione è entrato nell'aula un ragazzo che ha detto al signor Tommasi,

"Professore, il direttore desidera vederla[7] un minuto nell'ufficio." Il signor Tommasi ci[8] ha dato alcuni problemi da risolvere ed è uscito dicendo, "Scusate, ritornerò subito."

Paolo: Mentre il signor Tommasi era[9] fuori dell'aula, Umberto Corso è andato alla lavagna ed ha scritto: IL SIGNOR TOMMASI—ASINO.

Madre: Che ragazzo mal educato!

Paolo: Mal educato! Umberto è spesso addirittura[10] cattivo.

Madre: E voi non siete andati alla lavagna a cancellare quelle parole?

Pietro: Né Paolo né io né nessun altro ha ardito di cancellare quelle parole.

Madre: Ma perché?

Paolo: Perché noi tutti abbiamo paura di Umberto.

Madre: Allora l'incidente non è stato comico affatto.

Pietro: Tutto al contrario; vedrai[11] che è stato molto comico.

Madre: Ma come? Che è successo quando il professore è tornato?

Paolo: Quando il signor Tommasi è entrato nell'aula, ha veduto immediatamente le parole sulla lavagna, ha guardato intorno intorno a ciascuno di noi e poi ha detto con molta calma, "Chi ha ardito di scrivere il suo[12] nome vicino al mio?"[13]

Pietro: Tutti abbiamo riso, sí tutti, eccetto Umberto.

Paolo: Umberto non solo non ha riso, ma si è fatto[14] rosso rosso in faccia.

Madre: Bravo il signor Tommasi!

---

[1]*In Italy, school grades range from zero to ten.*   [2]*Carducci (1835–1907), winner of the Nobel Prize for poetry in 1906.*   [3]in solving   [4]of it, about it   [5]willingly, gladly   [6]to tell it   [7]to see you (*pol.*)   [8]us, to us   [9]was   [10]outright, altogether   [11]**vedrai** (*irregular future*)   [12]his   [13]mine   [14]became, got

Esercizi

I. **Per la Comprensione.** Formare delle proposizioni conformi al contenuto della lettura.

1. senza ritardo / a casa / sono arrivati / i gemelli
2. oggi / a casa / direttamente / sono andati / essi
3. a scuola / le cose / bene / oggi / sono andate
4. Paolo / un buon punto (mark) / perché / ha ricevuto / bene / ha recitato
5. tutti i problemi / a risolvere / Pietro / è riuscito / oggi
6. un incidente / di matematica / comico / nella classe / è accaduto
7. la madre / sentire / comico / l'incidente / desidera
8. è uscito / il signor Tommasi / minuti / per pochi / dall'aula
9. sulla lavagna / il signor Tommasi / ha scritto / Umberto Corso / asino
10. dei ragazzi / nessuno / quelle parole / di cancellare / ha ardito
11. tutti / della classe / i ragazzi / di Umberto / paura / hanno
12. un ragazzo / dice che / la madre dei gemelli / Umberto / mal educato / è
13. spesso / addirittura / Umberto / cattivo / è
14. dei gemelli / la madre / l'incidente / dice che / comico / non è
15. del signor Tommasi / la domanda / Umberto / fa arrossire (causes to blush)
16. tutti / della classe / i ragazzi / eccetto / hanno riso / Umberto

II. Per Imparare i Vocaboli

A. Per ogni vocabolo nella colonna A, trovare il contrario nella colonna B.

	A		B
1.	comico	*a*.	dentro
2.	eccetto	*b*.	tragico
3.	per eccezione	*c*.	compreso
4.	fuori	*d*.	di solito
5.	paura	*e*.	con
6.	ridere	*f*.	coraggio
7.	senza	*g*.	con ritardo
8.	subito	*h*.	piangere

B. Per ogni vocabolo italiano nella colonna A, trovare nella colonna B la parola inglese alla quale è collegato per derivazione.

	A		B
1.	bove	*a*.	cancel
2.	cancellare	*b*.	to retard
3.	faccia	*c*.	deride, derision
4.	ridere	*d*.	bovine
5.	ritardo	*e*.	postscript
6.	scritto	*f*.	volunteer
7.	volentieri	*g*.	facial

III. Per Imparare la Grammatica. Completare le frasi con la forma conveniente del verbo indicato, tempo passato prossimo.

andare
1. Mario, dove _ _ _ _ oggi?
2. Io _ _ _ _ al cinema.
3. Maria, _ _ _ _ al cinema con Mario?
4. No, io non _ _ _ _ al cinema.

arrivare
5. Signor Pace, a che ora _ _ _ _ Lei?
6. Io _ _ _ _ alle dieci.
7. E Lei, signorina, a che ora _ _ _ _ ?
8. Anch'io _ _ _ _ alle dieci.

cadere
9. Nino _ _ _ _ dall'albero, non è vero?
10. Ma no, egli non _ _ _ _ affatto.
11. Forse la sorella, Nina, _ _ _ _ ?
12. No, nemmeno ella _ _ _ _ .
13. Infatti non _ _ _ _ nessuno.

14. Solo le foglie (leaves) ____ .

salire   15. Signori, come ____ Loro?

16. Noi ____ in ascensore (by elevator).

17. E Loro, signorine, come ____ ?

18. Anche noi ____ in ascensore?

essere   19. Ragazzi, dove ____ tutto il pomeriggio.

20. Noi ____ al giardino zoologico.

21. Elena, anche tu e la sorella ____ al giardino?

22. No, noi ____ alla biblioteca.

23. Solo i ragazzi ____ al giardino zoologico.

24. Le ragazze ____ o a casa o alla biblioteca.

stare   25. Il babbo ____ male, non è vero?

26. No, è la mamma che ____ male.

27. Noi ____ e stiamo ancora molto bene.

Capitolo venticinquesimo

Punto principale di grammatica

Alcuni verbi il cui participio passato è irregolare. (A few verbs whose past participles are irregular.)

aprire	*aperto*	opened	perdere	*perso, perduto*	lost
chiedere	*chiesto*	asked	prendere	*preso*	taken
chiudere	*chiuso*	closed	rimanere	*rimasto*	remained
dire	*detto*	told, said	rispondere	*risposto*	answered
fare	*fatto*	done, made	scrivere	*scritto*	written
leggere	*letto*	read	vedere	*visto, veduto*	seen
mettere	*messo*	put, placed	venire	*venuto*	come

I vocaboli

addormentarsi to fall asleep
alzarsi to get up, to rise
bottiglia bottle
divenire to become
farmacista (*m., f.*) pharmacist
figlio son; **figlia** daughter; **figli** sons, children
forte strong
giovedí (*m.*) Thursday
insonne sleepless
insonnia insomnia
lunedí (*m.*) Monday
malattia illness, sickness
mano (*f.*) hand; (*pl.*) **le mani** (*see Esp.* in)
martedí (*m.*) Tuesday
medicina medicine
medico doctor
medico medical (*adj.*)

mercoledí (*m.*) Wednesday
mezzo half (*see Esp.* ora)
onorario fee
passeggiata walk, stroll (*see Esp.* fare)
pastiglia tablet, pill
provare to try, to try out
ricetta prescription
riuscire to succeed (*see Esp.* a)
soffrire to suffer
soltanto only
speranza hope (*see Esp.* di)
suggerire (-isc) to suggest
svegliarsi to wake up
tardo late; **a tarda ora** at a late hour
tormento torment
visita visit; **visita medica** medical examination

132

Le espressioni

a: (1) **è riuscita ad addormentarsi** she succeeded in falling asleep
    (2) **chiedere a qualcuno** to ask someone
da: (1) **una cosa da niente** something of no consequence, something of no
        importance
    (2) **andare dal medico** to go to the doctor's (office)
di: (1) **con la speranza di dormire** with the hope of sleeping
    (2) **sicura di poter dormire** sure of being able to sleep
    (3) **prima di andare a letto** before going to bed
    (4) **non ha bisogno di lavorare** she does not need to work
    (5) **soffrire d'insonnia** to suffer from insomnia
fare: **fare una passeggiata** to take a walk
in: **in mano** in his (her) hand
la: **la notte** at night
ora: **mezz'ora** half an hour; **una mezz'ora** a half hour
passare: **passare del tempo** to spend time
per: **per comprare** to buy, in order to buy
poco: **poco tempo** a short time, a little while
tale: **in tal caso** in such a case

La medicina per l'insonnia

> After a siege of insomnia, Mrs. Bellini finally finds an effective cure for
> her ailment.

Narratore: Sapete che è l'insonnia? Proprio così;[1] la malattia
delle persone che non possono[2] dormire. Sembra una cosa
da niente? Invece no; è molto grave, perché il passare[3]
delle notti insonni è un vero tormento.
    Questo è stato il caso della signora Bellini. Per più di una
settimana ella non è riuscita ad addormentarsi la notte.
Lunedí mattina, dopo un'altra notte insonne, la signora
Bellini è andata dal farmacista per comprare qualche[4]
medicina per dormire.

Signora B.: Buon giorno, signor farmacista. Desidero una medicina che mi faccia[5] dormire. Soffro d'insonnia.

Farmacista: Signora, Lei ha chiesto una ricetta al dottore?

Signora B.: No, non sono andata dal medico.

Farmacista: Allora, Lei non ha nessuna ricetta?[6]

Signora B.: No, giacché non sono andata dal medico.

Farmacista: Allora suggerisco queste pastiglie; non posso darle altro[7] senza una ricetta.

Signora B.: Va bene, proverò le pastiglie.

Narratore: La signora Bellini è tornata a casa tutta contenta nella speranza di poter[8] dormire. Tutto tempo perso! Ella non è riuscita ad addormentarsi né lunedí notte né martedí notte. Le pastiglie non erano[9] abbastanza forti. Perciò, mercoledí è andata dal medico. Dopo una breve visita medica, il dottore ha visto che la signora non aveva[10] nulla di grave ed ha detto:

Medico: Signora Bellini, Lei lavora?

Signora B.: Oh no! Non ho bisogno di lavorare.

Medico: Quanti figli ha Lei?

Signora B.: Signor dottore, non abbiamo figli.

Medico: Lei fa le faccende di casa?

Signora B.: Oh no, abbiamo la serva.

Medico: Durante questo periodo d'insonnia, è andata a fare delle lunghe passeggiate?

Signora B.: No, non ho fatto passeggiate. Generalmente sono rimasta a casa. Non mi piace[11] camminare molto.

Medico: Va bene! Scusi un momento!

Narratore: E con ciò,[12] il medico è entrato nel laboratorio. Dopo poco tempo, è uscito con una bottiglia in mano.

Medico: Signora, questa è una medicina speciale, preparata da me, e perciò non ho scritto nessuna ricetta. Lei prenderà un cucchiaio[13] di questa medicina prima di andare a letto ed un cucchiaio ogni mezz'ora durante la notte.

Signora B.: Grazie dottore! Quanto è?

Medico: Oh, niente per la medicina; soltanto il solito onorario.

Signora B.: Grazie! Ecco l'onorario. Arrivederla!

Medico: Arrivederla, signora!

Narratore: La signora Bellini è uscita dall'ufficio sicura di poter dormire quella notte. Quindi, mercoledí notte, prima di andare a letto, ha preso un cucchiaio di medicina ed è andata a letto. Dopo mezz'ora si è alzata,[14] ha preso un altro cucchiaio di medicina ed è tornata a letto. Dopo aver fatto ciò cinque volte è divenuta cosí stanca che si è addormentata[15] e non si è svegliata fino a tarda ora giovedí.

---

[1] that's right, exactly, exactly so   [2] are not able, cannot   [3] spending
[4] some, any (whatever)   [5] that may make me sleep   [6] no prescription   [7] I cannot give you anything else   [8] of being able   [9] were not   [10] didn't have   [11] I don't like   [12] and so, and thereupon
[13] *trans. as* a spoonful   [14] she got up   [15] she fell asleep

Esercizi

I. Per la Comprensione

A. Formare delle proposizioni conformi al contenuto della lettura.

1. malattia / l'insonnia / è / una
2. molte / d'insonnia / persone / soffrono
3. per / è difficile / tali persone / addormentarsi
4. le notti / un tormento / insonni / sono
5. d'una settimana / per piú / d'insonnia / soffre / la signora Bellini
6. mattina / lunedí / dal farmacista / è andata / ella
7. al farmacista / una medicina / ha chiesto / per dormire
8. una ricetta / non ha / perché / dal dottore / non è andata
9. alla signora Bellini / delle pastiglie / vende / il farmacista
10. a casa / è tornata / ella / di dormire / con la speranza

B. Rispondere alle domande prima in italiano e poi in inglese.

1. È ella riuscita a dormire lunedí notte?
2. Perché non ha dormito nemmeno martedí notte?
3. Quando è andata dal medico?
4. Perché non lavora la signora Bellini?
5. Perché non fa le faccende di casa?
6. Quanti figli ha ella?
7. Ha fatto delle lunghe passeggiate?
8. Chi ha preparato la medicina speciale?
9. Quanto costa la medicina speciale?
10. Quante volte si è alzata ella per prendere la medicina?
11. Perché si è addormentata?
12. Fino a quando ha dormito?

II. Per Imparare i Vocaboli.
Per ogni vocabolo nella colonna **A**, trovare nella colonna **B** la parola alla quale è collegato per derivazione.

A	B
1. addormentarsi	*a.* malato
2. divenire	*b.* sperare
3. faccenda	*c.* dormire
4. insonne	*d.* sonno
5. malattia	*e.* facere (*old form of* fare)
6. medico	*f.* tormentare
7. riuscire	*g.* venire
8. speranza	*h.* uscire
9. tormento	*i.* medicina

III. Per Imparare la Grammatica. Completare le frasi con la forma conveniente del verbo indicato, tempo passato prossimo.

dire
1. Signora, che ____ Lei?
2. ____ che è tardi.

fare
3. Amici, che ____ oggi?
4. Non ____ nulla di straordinario.

scrivere
5. Signori, Loro ____ molte poesie?
6. Noi ____ delle poesie ma non molte.

perdere
7. Riccardo, oggi tu ____ molto tempo.
8. Ma no, io non ____ tempo affatto.

chiedere
9. Che ____ la signora Bellini?
10. Ella ____ della medicina per dormire.

prendere
11. Quante volte ____ la medicina speciale?
12. Ella ____ la medicina sei volte.

vedere
13. Allora, nessuno ____ il film?
14. Non è vero, noi tutti ____ il film.

leggere
15. Ragazzi, quale capitolo ____ oggi?
16. ____ il decimo capitolo.

chiudere
17. Perché ____ i libri gli studenti?
18. Essi ____ i libri perché la lezione è finita.

mettere
19. Maria, dove ____ il giornale (newspaper)?
20. ____ il giornale sul tavolo.

rispondere
21. Chi ____ alle domande?
22. Noi ____ a tutte le domande.

Capitolo ventiseesimo

Punto principale di grammatica

L'uso della particella passivante **si**. (The use of **si** for the passive.)

Il denaro non **si** trova per terra.	Money is not found on the ground.
I dollari non **si** trovano per terra.	Dollar bills are not found on the ground.
La data **si** scrive cosí.	The date is written thus.
Le date **si** scrivono cosí.	Dates are written thus.

I vocaboli

abitante (*m.*) inhabitant
agnello lamb
agricolo agricultural
arancia (*f.*) orange (fruit); (*pl.*) arance
arancio orange tree; (*pl.*) **aranci**
attirare to attract
bestiame (*m.*) cattle, livestock
castagno chestnut tree
coltivare to cultivate
coltura cultivation
costoletta chop
esportare to export
formaggio cheese
fruttifero fruitbearing
giú down
granaio granary
grano wheat, grain
granone (*m.*) corn
guerra war
infine finally
lasciare to leave

lavoratore (*m.*) worker
limone (*m.*) lemon, lemon tree
migliaio thousand (or so); (*pl.*)
  le migliaia thousands
miglioramento improvement
miracolo miracle
mondiale world (*adj.*); **guerra mondiale** world war
olio oil
oliva olive
olivo olive tree
oro gold
osso bone
paragonare to compare
pascolo pasture
prodotto product
produrre to produce
riso rice
sviluppo development
terra land, earth
terreno soil, land
vi=ci there

Le espressioni

di: (1) **un milione di lavoratori** a million workers
    (2) **Che fanno dell'osso?** What do they do with the bone?
fare: **fare progressi** to make progress
trovarsi: **Dove si trovano le pianure?** Where are the plains (located)?

138

Un paese agricolo o industriale?

L'Italia è stata paragonata ad una costoletta d'agnello: l'osso rappresenta i monti e la carne rappresenta le pianure. Sappiamo già dov'è l'osso; cioè, sappiamo dove sono le due grandi catene di montagne. Ma dov'è la carne; cioè, dove sono le pianure? La piú grande pianura è la valle del Po, la piú ricca regione d'Italia. Poi ci sono due pianure lungo[1] le coste: una lungo il Mar Tirreno, nell'Italia centrale; l'altra lungo il Mar Adriatico, nelle Puglie. Ed infine, vi sono altre due in Sicilia; la Piana di Catania[2] e la Conca d'Oro.[3] Nei tempi antichi le due pianure siciliane erano[4] chiamate "il granaio dei Romani."

Che hanno fatto gli Italiani dell'osso della "costoletta," cioè, del terreno montuoso che ricopre due terzi dell'Italia? Con molta fatica gli Italiani sono riusciti a coltivare il 90 per cento di questo terreno. Non potendo coltivarci[5] il grano, il granone, il riso, ecc., vi hanno coltivato degli alberi fruttiferi come il castagno, l'olivo, l'arancio, il limone, ed altri. Il terreno montuoso che rende soltanto delle erbe si usa come pascoli per il bestiame. L'acqua che scorre giú[6] dai monti in tanti fiumi si usa per la produzione dell'elettricità e per l'irrigazione.

Per molti anni, piú di un terzo degli abitanti si sono dedicati[7] all'agricoltura—e con quanta fatica! Come abbiamo visto, generalmente il terreno d'Italia non è fertile, eppure con grandi sforzi[8] gli Italiani sono riusciti a produrre tanto da poter[9] esportare tali prodotti come il vino, l'olio d'olive, i formaggi, le arance, ed altre frutta. Una gran parte di tali prodotti si esportano negli Stati Uniti d'America.

Ma il mondo cambia; e chi sa se cambia per il meglio[10] o no? Ed anche l'Italia è cambiata. L'Italia ha sempre avuto delle industrie importanti. Dopo la seconda Guerra Mondiale, però, ci è stato uno sviluppo industriale cosí grande che è stato chiamato il "miracolo economico" d'Italia. Per conseguenza[11] le industrie hanno attirato ed attirano ancora migliaia e migliaia di lavoratori dalle parti agricole del paese. In venti anni (dal 1952 al 1972) c'è stata una riduzione di piú di cinque milioni di lavoratori agricoli. Anche ora, piú di trecento mila (300,000) lavoratori agricoli lasciano i campi ogni anno. Gli Italiani chiamano questo spostamento[12] "l'esodo agricolo."[13] Difatti è ben chiamato "esodo" se si pensa che ogni tre minuti due lavoratori agricoli lasciano la terra per andare a lavorare nelle industrie.

Quindi, come si risponde alla domanda, è l'Italia un paese agricolo o industriale? Nel passato la risposta era semplice, ma ora no, perché sono le industrie che hanno fatto i maggiori progressi. Speriamo che questi cambiamenti risultino[14] in un miglioramento della vita in Italia.

[1] along   [2] the Plain of Catania (*at the foot of Mount Etna*)   [3] the Golden Conch (*shell*) *a very fertile plain near Palermo*   [4] were [5] not being able to cultivate there   [6] runs down   [7] have devoted themselves   [8] *The efforts include terracing mountainsides, draining swamplands, irrigating, and careful cultivating.*   [9] as to be able [10] for the better   [11] as a result   [12] displacement (*change of location*) [13] "agricultural exodus"   [14] may result

Esercizi

I. Per la Comprensione. Scegliere le parole giuste per completare le seguenti proposizioni secondo il contenuto della lettura. (Choose the correct words to complete the following sentences according to the contents of the passage.)

1. L'Italia è paragonata ad (*a*) una bistecca (*b*) una costoletta d'agnello (*c*) un pollo.

2. L'osso rappresenta (*a*) i mari (*b*) i laghi (*c*) i monti d'Italia.

3. (*a*) La carne (*b*) Il lardo (*c*) Il sangue rappresenta le pianure d'Italia.

4. La piú ricca pianura è la valle del fiume (*a*) Adige (*b*) Po (*c*) Tevere.

5. Una pianura si trova nell'Italia centrale lungo il (*a*) Mar Tirreno (*b*) Mar Ionio (*c*) Mar Ligure.

6. Ci sono (*a*) molte (*b*) due (*c*) quattro pianure importanti in Sicilia.

7. Una delle pianure di Sicilia si chiama (*a*) la Valle Padana (*b*) la Sila (*c*) la Conca d'Oro.

8. Nei tempi antichi la Sicilia forniva (furnished) (*a*) il vino (*b*) il formaggio (*c*) il grano ai Romani.

9. Il terreno montuoso ricopre (*a*) tutta l'Italia (*b*) due terzi dell'Italia (*c*) una piccola parte dell'Italia.

10. Alberi fruttiferi sono coltivati (*a*) nelle pianure (*b*) sulle coste (*c*) nelle parti montuose.

11. Per molti anni, due terzi del popolo italiano erano lavoratori (*a*) professionali (*b*) agricoli (*c*) industriali.

12. I grandi progressi delle industrie italiane sono avvenuti dopo (*a*) la Guerra dell'Indipendenza (*b*) la seconda Guerra Mondiale (*c*) la prima Guerra Mondiale.

13. Lo spostamento dei lavoratori dai campi alle città è chiamato (*a*) il miracolo italiano (*b*) il Risorgimento (*c*) l'esodo agricolo.

142
Leggere con piacere

II. Per Imparare i Vocaboli

A. Per ogni vocabolo nella colonna A, trovare nella colonna B la parola alla quale è collegato per derivazione.

A	B
1. abitante	*a*. portare
2. agricolo	*b*. lavorare
3. attirare	*c*. abitare
4. bestiame	*d*. tirare (to pull)
5. cambiamento	*e*. coltivare
6. coltura	*f*. cambiare
7. esportare	*g*. migliore
8. granaio	*h*. agricoltore
9. lavoratore	*i*. grano
10. miglioramento	*j*. bestia, bestiola

B. Per ogni vocabolo nella colonna A, trovare nella colonna B la parola inglese alla quale il vocabolo italiano è collegato per derivazione.

A	B
1. fatica	*a*. terrain
2. fine	*b*. guerrilla
3. guerra	*c*. vital
4. meglio	*d*. paragon (model for comparison)
5. olio	*e*. fatiguing
6. paragonare	*f*. ameliorate
7. terreno	*g*. petroleum
8. vita	*h*. final

III. Per Imparare la Grammatica. Completare le frasi italiane usando la particella si.

1. English is spoken a great deal.
   L'inglese ____ molto.
2. Certain languages are not spoken much.
   Certe lingue non ____ molto.
3. Where is salt sold in Italy?
   Dove ____ il sale in Italia?
4. Where are cigarettes sold in Italy?
   Dove ____ le sigarette in Italia?

5. How is this word pronounced?
   Come ____ questa parola?
6. How are these words pronounced?
   Come ____ queste parole?
7. The olive tree is cultivated a great deal.
   L'olivo ____ molto.
8. Orange and lemon trees are cultivated in Sicily.
   Gli aranci ed i limoni ____ in Sicilia.
9. Generally, wheat is not exported by Italy.
   Generalmente, il grano non ____ dall'Italia.
10. Wine and cheese are exported by Italy.
    Il vino ed il formaggio ____ dall'Italia.

Vocabolario

This Italian-English vocabulary includes all words used in the reading selections, in the exercises, in the directions to the exercises, and in the grammar presentations. It also includes verb forms not easily associated with their infinitives and the contracted forms of the prepositions with the articles.

The genders of nouns are indicated by *m.* (masculine) or *f.* (feminine). No such indication is given, however, for regular nouns ending in -*o* or in -*a* and for feminine nouns ending in -*à*.

a to, at; (*with articles*): (*sing.*) **al, allo, all', alla**; (*pl.*) **ai, agli, alle** to the, at the

abbastanza enough, sufficient

abbiamo (*pres. of* **avere**) we have

abitante (*m.*) inhabitant

abitare to live, to dwell

abitazione (*f.*) house, dwelling

accadere to happen, to occur, to take place

accettare to accept

accordo accord, agreement; **essere d'accordo** to agree, to be in agreement; **d'accordo!** agreed!

acqua water

ad = **a**

addirittura absolutely, downrightly

addormentarsi to fall asleep

adesso now

adottare to adopt, to accept, to use

adulto adult

affare (*m.*) business, matter, affair

affatto entirely; **non . . . affatto** not at all

aggettivo adjective

agli **a** + **gli**; (*see* **al**)

agnello lamb

ago needle

agricolo agricultural

agricoltore (*m.*) farmer

agricoltura agriculture, farming

ai = **a** + **i**; (*see* **al**)

aiutare to help, to aid

aiuto help

al = **a** + **il** to the; (*similarly*): (*sing.*) **all', alla, allo**; (*pl.*) **agli, ai, alle**

albergo hotel

albero tree

alcuni(e) some, a few

allegro merry, cheerful

allo = **a** + **lo**; (*see* **al**)

allora then, therefore

alludere to allude, to refer

almeno at least

Alpi (*f. pl.*) Alps

alpino Alpine

alquanto rather, quite, somewhat

altezza height

alto tall, high

altro another, something else; **altri** others

altro (*adj.*) other; **un'altra volta** another time, once more

alunno pupil

alzarsi to get up, to rise

amare to love

amica friend; (*pl.*) **amiche**

amico friend; (*pl.*) **amici**

ammettere to admit

ammirare to admire

ammiratore (*m.*) admirer
anche also
ancora still, yet
andare to go; **andare in automobile** to go by car, to ride a car; **andare in bicicletta** to go by bicycle, to ride a bicycle; **andare a passeggio** to go for a walk; **andare a piedi** to go on foot; **andare in campagna** to go to the country; **andare in chiesa** to go to church; **andare in treno** to go by train; **andare via** to go away
andata going; **biglietto di andata e ritorno** round-trip ticket
Annibale Hannibal (Carthaginian general who crossed the Alps into Italy, where he was victorious over the Romans in various battles)
anno year; **aver . . . anni** to be . . . years old
annunciare to announce
annunciatore (*m.*) announcer
ansietà anxiety, anxiousness
ansioso anxious
antico ancient
antipasto appetizer
aperto (*p.p. of* **aprire**) opened, open
apparecchiare to set, to prepare (a table)
Appennini (*m. pl.*) Appennines
appunto precisely, exactly, just so
aprire to open
arancia orange
arancio orange tree
ardire (-isc) to dare
argenteria silverware
aristocratico aristocrat; (*adj.*) aristocratic
arme (*f.*) weapon, arm
arrivare to arrive
arrossire to blush
arte (*f.*) art

arteria artery
articolo article; **articolo determinativo** definite article; **articolo indeterminativo** indefinite article
artista (*m. and f.*) artist
ascensore (*m.*) elevator
asino donkey, jackass
aspettare to wait, to wait for
assicurare to assure, to give assurance
assistenza assistance, help
assoluto absolute; **superlativo assoluto** absolute superlative
attento careful, watchful
attenzione (*f.*) attention; **fare attenzione** to pay attention
attirare to attract
attività activity
attivo active
attore (*m.*) actor
attrice (*f.*) actress
attuale current, present
attualmente currently, presently, at the present time
audace (*adj.*) daring, bold
audace (*m.*) daring person, bold person
aula classroom
Austria Austria
autista (*m. and f.*) driver (of an automobile)
autobus (*m.*) bus
avere to have; **aver . . . anni** to be . . . years old; **aver bisogno di** to need; **aver fame** to be hungry; **aver paura** to be afraid
avrà he shall have, etc., (*other forms*): **avrò, avrai, avremo, avrete, avranno**
avvenire to happen, to take place
avventura adventure
avverbio adverb
avversario opponent, adversary
azione (*f.*) action, deed
azzurro blue

babbo dad

bacino basin

bagnare to bathe, to wash (of seas touching shores)

bagno: costume da bagno (*m.*) bathing suit

bambino child, infant

banca bank

banco desk (student's)

barbiere (*m.*) barber

Barone (*m.*) Baron

barzelletta joke, witticism

basato based

base (*f.*) base

basso low, short

basso bass (singer)

bastare to be sufficient, to suffice, to be enough

battaglia battle, struggle

battere to beat, to strike

bel (*see* bello)

bellezza beauty

bello beautiful; (*other forms*): (*sing.*) bel, bell', bella; (*pl.*) bei, begli, belle

ben = bene

benché although, however

bene well

benino quite well

benone very well

bestia beast, animal

bestiame (*m.*) cattle, livestock

bestiola little beast, little animal

bianco white

biblioteca library

bicchiere (*m.*) drinking glass

bicicletta bicycle; andare in bicicletta to go by bicycle, to ride a bicycle

biglietto ticket; biglietto di andata e ritorno round-trip ticket; biglietto di ritorno return ticket; biglietto semplice one-way ticket

bimbo infant, child, baby

binario railway track

biondo blond

biscotto biscuit

bisognare to be necessary

bisogno need, necessity: aver bisogno di to need

bistecca beefsteak

bollettino bulletin; bollettino meteorologico weather report

bottiglia bottle

bove (*m.*) ox; (*also*) bue; (*pl.*) buoi

bravo able, clever, good, fine; Bravo Martino! Good for Martin!

breve brief, short; fra breve shortly, soon, in a little while

brillare to shine

brocca pitcher

bruno dark, brunet

bugia lie

buono good

burro butter

bussa blow, knock; ricevere delle busse to get a beating

bussare to knock

buttare to throw

c' = ci

cadere to fall

caffè (*m.*) coffee

caldo (*adj.*) warm, hot

caldo heat, warmth; far caldo to be warm (weather)

calma calm

calmare to calm

calzino sock

cambiamento change

cambiare to change

camera room, chamber; camera da letto bedroom

camminare to walk

camminata   walk, stroll; **fare una camminata**   to take a walk
campagna   country
campanello   bell, doorbell
campo   field
cancellare   to cancel, to erase
capace   capable, able
capello   hair; (*pl.*) **i capelli**   the hair
capire (-isc)   to understand
capitolo   chapter
cappello   hat
carne (*f.*)   meat
caro   dear
carota   carrot
carta   paper, card; **carta geografica**   map; **giocare a carte**   to play cards
cartolina   card, postcard
casa   house, home; **andare a casa**   to go home
caso   case
castagno   chestnut tree
catena   chain
cattivello   bad little boy; **fare il cattivello**   to be a bad little boy
cattivo   bad, evil
celeste   sky blue, azure
centrale   central
cercare   to seek, to try; **cercare di fare qualcosa**   to try to do something
certo   certain, sure; **certo!**   certainly! of course!
che (*adj.*)   what; **che peccato!**   what a pity! **che piacere!**   what a pleasure!
che (*pron.*)   what?, which, that, who, whom; **che cosa?** what? **ciò che**   what (that which)
che (*conj.*)   than
chi   who? whom? whoever, he who
chiamarsi   to be called; **si chiama**   is called, his (her) name is
chiedere   to ask, to ask for

chiesa   church; **andare in chiesa**   to go to church
chiudere   to close, to shut
chiuso (*p.p. of* **chiudere**) closed, shut
ci (*adv.*)   there, in it, in them
ci (*pron.*)   us, to us, for us
ciao!   hello! so long!
ciascuno   each, each one
cielo   sky; **santo cielo!**   good heavens!
cima   summit, top, peak
cinque   five
ciò   this, that; **ciò che**   what; **e con ciò**   and so
cioccolatini (*m. pl.*)   chocolate candy
cioè (ciò è)   that is, that is to say, namely
circa   about, around, approximately
circolazione (*f.*)   circulation
circondato   surrounded
circonferenza   circumference
citare   to cite, to recite, to quote
città   city
classe (*f.*)   class
classico   classic, classical
coda   tail
cognome (*m.*)   surname, family name, last name
col = con + il   with the; (*also*) **coi = con + i**
colazione (*f.*)   breakfast
collegato   related, associated
colonna   column
colore (*m.*)   color
coltello   knife
coltivare   to cultivate, to grow
coltura   cultivation
combattere   to fight
come   how? as, like; **come!**   what!
comico   comical
cominciare   to begin, to start
comitato   committee

comodo convenience; **fa comodo** it is convenient

compaesani (*m. pl.*) fellow townspeople

compagna companion

compagnia company

compagno friend, chum, companion, comrade

comparativo comparative

compito task, homework assignment

compleanno birthday

completamente completely

completare to complete, to finish

complimento compliment

comprendere to understand

compreso including; (*p.p. of* comprendere) understood

computista (*m. and f.*) bookkeeper

comunque however, nevertheless

con with; (*with article*): **col, coi** with the

conca conch (seashell)

concetto concept, notion, idea

conclusione (*f.*) conclusion

conformarsi (a) to conform (with), to comply (with)

conforme consistent, in conformity

coniugazione (*f.*) conjugation

conoscere to be acquainted with, to know (persons), to recognize; (*p.p.* conosciuto) recognized, known

conseguenza result, consequence

conservare to save, to conserve

considerare to consider

consiglio advice

consistere (in) to consist (of)

contabile (*m.*) bookkeeper

Conte (*m.*) Count

contenere to hold, to contain

contenuto contents

continuare to continue

continuo continuous; **di continuo** continuously

contorno side dish (vegetables accompanying the main serving of meat)

contrario contrary, opposite, antonym; **al contrario** on the contrary

contrattempo disappointment, mishap, "hitch"

contro against

conveniente suitable

convincere to convince; (*p.p.* convinto)

coperto (*p.p. of* coprire) covered

coprire to cover; **coprire di** to cover with; (*p.p.* coperto)

corda rope; **il salto alla corda** skipping rope

corpo body

corretto correct

corsivo: in corsivo in italics

corso course (of study), course (flow)

corto short, brief; **essere a corto di denaro** to be short of money

cosa thing; **che cosa?** what?; **cosa?** what?; **una cosa** something

così thus, so, in this manner

costa coast

costare to cost

costoletta chop; **costoletta d'agnello** lamb chop

costume (*m.*) costume; **costume da bagno** bathing suit

cratere (*m.*) crater

credere to believe

critica criticism

cucchiaino teaspoon

cucchiaio spoon; **un cucchiaio di** a spoonful of

cucina kitchen

cugina cousin

cugino cousin

culla cradle

cuoca   cook
cuore (*m.*)   heart
cura   care, cure, treatment; farsi una
   cura   to take a treatment

d' = di
da   by, from, at; camera da letto
   bedroom; costume da bagno   bathing suit; (*with def. art.*): (*sing.*) dal,
   dall', dallo, dalla; (*pl.*) dagli, dai,
   dalle
dà (*pres. of* dare)   you give, he gives,
   etc.; (*other forms*): do, dai, diamo,
   date, danno
dal = da + il   with the; (*similarly*):
   (*sing.*) dall', dalla, dallo; (*pl.*) dalle,
   dagli, dai
dama: il gioco di dama   the game of
   checkers; giocare a dama   to play
   checkers
danno   damage
dannoso   damaging
davvero   really, truly, indeed
debbo (*pres. of* dovere)   I must;
   (*also*): devo
debbono (*pres. of* dovere)   they
   must; (*also*): devono
decimo   tenth
del = di + il   some, of the, about the;
   (*similarly*): (*sing.*) dell', della,
   dello; (*pl.*) degli, dei, delle
denaro   money
derivato   derivative
derivazione (*f.*)   derivation
descrivere   to describe
deserto   deserted
desiderare   to desire, to wish
desideroso   desirous
destra   right hand; a destra   on the
   right
determinativo: articolo determinativo
   definite article
detto   saying, maxim, proverb

detto (*p.p. of* dire)   said
deve (*pres. of* dovere)   he must, etc.;
   (*other forms*): devo, devi, devono
di (*prep.*)   of, about, some; il nonno
   di Carolina   Caroline's grandfather;
   di continuo   continuously; ricoperto di monti   covered with
   mountains; (*with def. art.*): (*sing.*)
   del, dell', della, dello; (*pl.*) degli, dei,
   delle
di (*conj.*)   than
diavolo   devil
dici (*pres. of* dire)   you say; (*other
   forms*): dico   I say, dice   he says,
   diciamo   we say, dicono   they say
diciannovesimo   nineteenth
diciassettesimo   seventeenth
diciottesimo   eighteenth
difatti   in fact
differenza   difference
difficile   difficult, hard
dimenticare   to forget
Dio   God; grazie a Dio!   thank God!
dirà (*fut. of* dire)   he will say, he will
   tell, etc.; (*other forms*): dirò, dirai,
   diremo, direte, diranno
dire   to say, to tell
direttamente   directly, straight
direttore (*m.*)   principal
disparte   aside, apart
dispiacere   to be sorry; mi dispiace
   I am sorry
disposto   willing, disposed
distanza   distance
distruggere   to destroy
disturbare   to annoy
disturbo   annoyance, trouble
dite (*pres. of* dire)   you say (tell),
   etc.
ditta   firm, company
divenire   to become
diventare   to become
dividere   to divide
diviso (*p.p. of* dividere)   divided

dobbiamo (*pres. of* **dovere**) we must, we have to
dolce (*adj.*) sweet
dolce (*m.*) candy, dessert; (*pl.*) i **dolci** candy, sweets
dollaro dollar
domanda question
domani tomorrow
donna lady
dopo after, afterward, later
dormiglione (*m.*) sleepyhead
dormire to sleep
dorsale: dorsal; **la spina dorsale** the spinal column
dottore (*m.*) doctor
dove where
dovere to have to, must
dubbio doubt
due two
duello duel; **fare un duello** to have a duel, to fight a duel
durante during
durare to last

e and
è (*pres. of* **essere**) is, are
eccellente excellent
eccetto except
eccitato excited
ecco here is, here are; there is, there are; **ecco!** look!
economo thrifty, economical
ed = e
educato: ben educato well-bred, well-mannered; **mal educato** ill-bred, ill-mannered
educazione (*f.*) education, breeding; **la buona educazione** good breeding, good manners
effetto effect
egli he
elettricità electricity

ella she
entrare to enter, to come in
eppoi and then
eppure and yet, nevertheless
erba grass
eroina heroine
eruzione (*f.*) eruption
esagerare to exaggerate
esame (*m.*) examination, test
esatto exact
esaudire to grant, to hear or answer (a prayer)
esce (*pres. of* **uscire**) he (it) goes out or comes out
esempio example
esercizio exercize
esportare to export
espressione (*f.*) expression
esprimere to express
essa she, it (*f.*)
esse they (*f.*)
essere to be
essi they (*m.*)
esso he, it (*m.*)
est (*m.*) east
estate (*f.*) summer
estendersi to extend
età age
Europa Europe
evidente evident, obvious
evidentemente evidently

fa (*pres. of* **fare**) he does, he makes, etc.
fabbrica factory
faccenda duty, task; **una faccenda di casa** a household task
faccia face; **farsi rosso in faccia** to blush
facciamo (*pres. of* **fare**) we do, we make
faccio (*pres. of* **fare**) I do, I make, etc.

facile   easy
fagiolino   string bean
fame (*f.*)   hunger; aver fame   to be
   hungry
famoso   famous
fanciullo   child, boy
fandonia   tall story, yarn
fanno (*pres. of* fare)   they do, they
   make
farà (*fut. of* fare)   he will do, he will
   make, etc.; (*other forms*): farò,
   farai, faremo, farete, faranno
fare   to do, to make; (*for weather*):
   far caldo   to be warm; far freddo
   to be cold; far fresco   to be cool;
   far bel tempo   to be fine (weather);
   fare attenzione   to pay attention;
   fare una visita   to pay a visit; fare
   una passeggiata   to take a walk;
   farsi rosso in faccia   to blush; farsi
   una cura   to take a treatment
   (medical)
farmacista (*m. and f.*)   pharmacist,
   druggist
fate (*pres. of* fare)   you do, you make
fatica   effort, work, toil
fatto (*p.p. of* fare)   done, made
favore (*m.*)   favor
fede (*f.*)   faith
felice   happy, glad
fermare   to stop
fermata   stop
ferroviario (*adj.*)   railroad
fertile   fertile
fidanzamento   engagement
fiducia   faith, trust, confidence
figlia   daughter
figlio   son; figli   sons, children
figura   figure, appearance; fare bella
   figura to make a good appearance,
   to look good
finalmente   finally, at last
finanziario   financial
fine (*f.*)   end; in fine   in the end,
   after all, finally

finestrino: finestrino dei biglietti
   ticket office window
fingere   to pretend, to feign
finire (-isc)   to finish, to end
fino (*adj.*)   fine, thin, excellent
fino: (*prep.*) fino a   up to; (*adv.*)
   fino a   until
finora   up to now, till now
finto   fake, sham, feigned
fiore (*m.*)   flower
fisarmonica   accordion
fiume (*m.*)   river
fo = faccio (*pres. of* fare)   I do, I
   make, etc.
foglia   leaf
folla   crowd
forchetta   fork
forma   form, shape
formaggio   cheese
fornire (-isc)   to furnish
forno   oven; carne al forno   roast
forse   perhaps, maybe
forte   strong; parlare forte   to speak
   loudly
fortuna   luck, fortune; per fortuna
   fortunately
fortunato   lucky, fortunate
forza   strength, force
fotografia   photo, picture
fra   in, within, between, among; fra
   breve   shortly, in a little while
fragile   fragile
francese   French
Francia   France
frase (*f.*)   sentence, phrase
fratello   brother
freddo (*adj.*)   cold; far freddo   to be
   cold
freddo   cold
fresco (*adj.*)   cool; far fresco   to be
   cool
fresco   coolness
fronte (*m.*)   front (geographical)

frontiera frontier, border
frutta fruit; **frutta fresca** fresh fruit; **frutta secca** nuts
fruttifero fruitbearing
fumo smoke
funicolare (*f.*) funicular railway
fuori out, outside

galleggiare to float
gallo rooster
gamba leg
gatto cat
gemello twin; **i gemelli** the twins
generalmente generally
genere (*m.*) gender
generoso generous
gente (*f.*) people
gentile kind
germe (*m.*) germ
ghiacciato iced
ghiottone (*m.*) glutton
già already
giacché since
giallastro yellowish
giallo yellow
giardino garden
gigante (*m.*) giant
gigantesco gigantic
giocare to play (games)
gioco play, playing, game
gioiello jewel
giornale (*m.*) newspaper
giornata day (entire duration)
giorno day
giovane young; **il giovane** the young man
giovedí (*m.*) Thursday
giro turn; **prendere in giro** to pull someone's leg, to tease
giú down
giusto right, correct, just
glaciale glacial

gli (*art.*) the
gli (*pron.*) to him, for him, at him
godere to enjoy
golf (*m.*) sweater; **il golfino** the little sweater
gonna skirt
grado degree
grammatica grammar
grammaticalmente grammatically
gran = grande
granaio granary
grande big, large, tall
grandezza size, largeness, greatness
grano grain, wheat
granone (*m.*) corn
grato grateful
grave serious, grave
grazie! thanks! thank you!
gridare to shout, to yell
gruppo group
guardare to look (at), to watch
guerra war
guidare to drive (a car, etc.)
gusto taste, relish; **con gusto** with pleasure

ha (*pres. of* **avere**) he has, etc.; (*other forms*): **ho, hai, hanno**

i the
idea idea
ignorante ignorant
ignoranza ignorance
il the
immediatamente immediately
imparare to learn
impiegato employee, clerk
importante important
importanza importance
importare to be of importance, to matter; **non importa** it does not matter, it is not important

impulso impulse, stimulus, impetus
in in (*with prep.*): (*sing.*) **nel, nello, nell', nella;** (*pl.*) **nei, negli, nelle; andare in bicicletta** to go by bicycle; **andare in macchina** to go by car; **andare in treno** to go by train
incidente (*m.*) incident
incontrare to meet
incontrarsi to meet; **si incontrano** they meet
incoraggiare to encourage
incredibile incredible, unbelievable
indicato indicated
indirizzo address
industria industry
industriale industrial
infatti in fact, indeed
infine in the end, at last, finally; (*also*): **in fine**
inglese English
iniezione (*f.*) injection
insalata salad
insieme together
insistere to insist, to persist
insonne sleepless
insonnia insomnia
insulare insular
insultare to insult
insulto insult
intendere to intend, to understand; **s'intende** it is understandable, of course, naturally
intenzione (*f.*) intention
intorno around, surrounding; **intorno intorno** all around
invano in vain
invece instead, on the other hand
inverno winter
invitare to invite
invito invitation
io I
irrequieto restless
irrigazione (*f.*) irrigation
isola island

ispezionare to inspect
Italia Italy
italiano Italian

Jugoslavia Yugoslavia

la (*art.*) the
là (*adv.*) there
la (*pron.*) her, it (*f.*); **La** you (*pol.*)
laboratorio laboratory
lago lake
lana wool
lardo lard, fat
larghezza width
largo wide
lasciare to leave
latte (*m.*) milk
lavagna blackboard
lavorare to work; **lavorare a maglia** to knit
lavoratore (*m.*) worker
lavoro work
Lazio Latium
le (*art.*) the
le (*pron.*) them (*f.*), to her; **Le** to you (*pol.*)
leggere to read
lei she; **Lei** you (*pol. sing.*)
lento slow
lettera letter
letto bed; **camera da letto** bedroom
letto (*p.p. of* **leggere**) read
lettore (*m.*) reader
lettura reading
lezione (*f.*) lesson
lì (*adv.*) there
li (*pron.*) them (*m.*)
libero free

lieto happy, glad, pleased
Ligure: Mar Ligure the Ligurian Sea
limone (*m.*) lemon, lemon tree
lira lira (Italian unit of money)
livello level
lo (*art.*) the
lo (*pron.*) it (*m.*)
locale (*m.*) place, location, site
Lombardia Lombardy
lontananza distance
lontano far; **da lontano** from afar
loro they, to them; **Loro** you, to you (*pol. pl.*)
loro (*poss. adj.*) their; **Loro** your (*pol.*)
lui he, him
lunedí (*m.*) Monday
lunghezza length
lungo (*adj.*) long
lungo (*prep.*) along
luogo place, spot, location; **aver luogo** to take place
lusso luxury; **di lusso** "de luxe," "swanky"

ma but; **ma che!** not at all
macchina machine, automobile, car
madre (*f.*) mother
maggiore greater; **il fratello maggiore** the older brother
maglia stitch; **lavorare a maglia** to knit
maglione (*m.*) sweater
mai ever, never; **come mai?** how is it that?
malato sick person, patient
male (*adv.*) badly, bad; **star male** to be ill; **meno male** fortunately
male (*m.*) evil, pain, illness
malattia illness, sickness
mamma mother, mama, mom
mancare to be lacking, to be missing

mandare to send
mangiare to eat
mangione (*m.*) big eater, great eater
mano (*f.*) hand; (*pl.*) **le mani**
mar = mare
mare (*m.*) sea
martedí (*m.*) Tuesday
massa mass; **in massa** in a body, "en masse"
matematica mathematics
mattina morning, morning time
mattino morning, early morning
me me, to me
medicina medicine
medico (*adj.*) medical; **la visita medica** the medical examination
medico doctor (medical)
medio medium, average
meglio better; **per il meglio** for the best
memoria memory
meno less; **meno male!** fortunately! it's a good thing!
mentre while, whereas
meraviglia wonder, marvel
meraviglioso marvelous, wonderful
mercoledí (*m.*) Wednesday
merenda snack, lunch, picnic
mese (*m.*) month
messo (*p.p. of* **mettere**) put, placed
meteorologico: il bollettino meteorologico the weather report
metro meter (39.37 inches)
mettere to put, to place
mezzo means; **per mezzo di** by means of
mezzo (*adj.*) half
mi me, to me, for me, myself
miagolare to mew
migliaio thousand, a thousand or so; (*pl.*) **le migliaia**
miglio mile; (*pl.*) **le miglia**
miglioramento betterment, improvement

migliore   better; il migliore   the
  best
mille   thousand
minestrone (*m.*)   vegetable soup
minorenne   minor
minuto   minute
mio   my, mine; (*other forms*):
  mia, miei, mie
miracolo   miracle
miracoloso   miraculous
misura   size, measure
modo   manner, way
molto (*adj.*)   mućh, a great deal (of);
  molti   many
molto (*adv.*)   very, very much
mondiale (*adj.*)   world; guerra
  mondiale   world war
mondo   world
Monsignore (*m.*)   Monsignor
montagna   mountain
monte (*m.*)   mountain, mount
montuoso   mountainous
morire   to die
morto (*p.p. of* morire)   dead; il
  morto   dead person; stanco morto
  dead tired
motto   maxim, saying, motto

navigabile   navigable
ne   of it, of them, about it, about
  them
né   neither, nor
neanche   not even
necessario   necessary, needed
negativo   negative
negli = in + gli (*see* nel)
negozio   store, shop
nel = in + il   in the; (*similarly*):
  (*sing.*) nell', nella, nello; (*pl.*)
  negli, nei, nelle
nemico   enemy
nemmeno   not even
nessuno   no one

neve (*f.*)   snow
nevicare   to snow
nevicata   snowfall
niente   nothing; niente pioggia   no
  rain at all
nipote (*m. and f.*)   nephew, niece
nipotina   little niece
nipotino   little nephew
no   no
noi   we, us
nome (*m.*)   name, noun
nomignolo   nickname
non   not
nondimeno   nevertheless, yet
nonna   grandmother
nonno   grandfather
nono   ninth
nord (*m.*)   north
normale   normal
nostro   our, ours
notare   to note
notte (*f.*)   night
nove   nine
novità   novelty, innovation
nulla   nothing
numero   number
numeroso   numerous
nuotare   to swim
nuovo   new; di nuovo   again, once
  more

o   or, either
occupare   to occupy
occupato   busy, occupied
od = o
odiare   to hate, to detest
offerto (*p.p. of* offrire)   offered
officina   factory
offrire   to offer; (*p.p.* offerto)
oggi   today
ogni   each, every
ognuno   each one, each, everyone
olio   oil

oliva olive
olivo olive tree
oltre more, than, besides
ombra shade, shadow
ombrello umbrella
onorario fee
opinione (*f.*) opinion
oppure or, or else
ora hour, time
ora (*adv.*) now, at present
origine (*f.*) origin
oro gold
osservare to observe, to see
osso bone
ottavo eighth
otto eight
ovest (*m.*) west
ozio idleness

pacco package
padre (*m.*) father
padrone (*m.*) master, owner
paesaggio landscape
paesano townsman
paese (*m.*) country (nation), town
palla ball; giocare alla palla to play ball
panca bench
pane (*m.*) bread
paradiso heaven, paradise; paradiso terrestre earthly paradise
paragonare to compare
parco park
pari equal; senza pari without equal
parola word
parte (*f.*) part, side
particella particle
partire to leave, to depart
partita game
pascolo pasture

passare to pass; passare del tempo to spend time
passato past; passato prossimo present perfect
passeggiata walk, stroll
passeggio walk; andare a passeggio to go for a walk
passo step, pace
pastiglia tablet (medical), pill
patata potato
paura fear; aver paura to fear, to be afraid of
pazienza patience
peccato sin, pity, shame; che peccato! what a pity!
peggio worse
pendente leaning
peninsulare peninsular
penisola peninsula
pennacchio plume; pennacchio di fumo feathery cloud of smoke, a plume of smoke
pensare to think
pensiero thought, worry
pepaiola pepper-shaker
pepe (*m.*) pepper
per for, in order to
perbacco! By Jove! (*literally:* By Bacchus!)
perché why? because
perciò therefore, for that reason
perdere to lose
pericolo peril, danger, hazard
pericoloso perilous, dangerous
periodo period (of time)
permesso permission; Permesso? May I?
permettere to permit, to allow; (*p.p.* permesso)
però however, yet, but
perso (*p.p. of* perdere) lost
persona person
personaggio character (of a play)

personale personal; **pronome personale** personal pronoun
pesca fishing
pescare to fish
pescatore (*m.*) fisherman
pesce (*m.*) fish
pescivendolo fish vendor
pezzo piece
piacere (*m.*) pleasure, favor; **per piacere!** please!
piacere to be pleasing, to like
piana plain
piano (*adv.*) slowly, softly
piano plan
pianoforte (*m.*) piano
pianta plant
pianura plain
piattino saucer
piatto plate, dish
piazza square, plaza
piccolo small, little
piè = piede: a piè di at the foot of, at the bottom of
piede (*m.*) foot; **a piedi** on foot
pigliare to catch, to take
pigro lazy
pioggia rain, rainfall
piovere to rain
pisello pea
pistola pistol
piú more; **non . . . piú** no longer
plurale (*m.*) plural
po' = poco
poco (*adj.*) little; **poco denaro** little money; **poco tempo** a short time; (*pl.*) **pochi, poche; pochi amici** a few friends
poco (*adv.*) little; **mangia poco** he eats very little
poco (*pron.*) little; **un poco** a little bit; (*pl.*) **pochi, poche** few
poesia poem, poetry
poi then, afterward, after
polizia police

pollo chicken
pomeriggio afternoon
popolazione (*f.*) population
porco pig; (*pl.*) **porci**
porta door
portare to carry, to bring
possessore (*m.*) owner
posso (*pres. of* **potere**) I can, I am able
posto place, location
povero poor
povertà poverty
pranzo dinner
preciso precise; **alle sette precise** at precisely seven o'clock
preferire (-isc) to prefer
pregare to pray
preghiera prayer
prego! you're welcome! don't mention it!
premio prize
prendere to take; **prendere raffreddori** to catch colds; **prendere pesci** to catch fish
preoccuparsi to worry
preparare to prepare
preparativi (*m. pl.*) preparations
preparazione (*f.*) preparation
preposizione (*f.*) preposition
presentare to present, to introduce
presentazione (*f.*) introduction
presente present
prestare to lend
prestito loan
presto early
prima (*adv.*) at first, first, before
primavera spring, springtime
primo (*adj.*) first; **il primo** the first one
principale (*adj.*) principal, main
principale (*m.*) boss, employer
problema (*m.*) problem; (*pl.*) **i problemi**
procurare to procure, to get
prodotto product

produrre to produce
produzione (*f.*) production
professionale professional
professore (*m.*) teacher, professor
profondità depth
profondo deep
progresso progress; **far progressi** to make progress
promettere to promise; (*p.p.* promesso)
pronome (*m.*) pronoun
pronto ready
proposito: a proposito by the way; **a proposito di** on the subject of
proposizione (*f.*) sentence
proprio indeed, really; **proprio cosí!** just like that!
prossimo: passato prossimo present perfect (tense)
provare to try, to test, to try out
proverbio proverb
provvidenziale providential, Godsent
pubblico public, people
punta tip, point, extremity, toe
punto point, period, dot; **in punto** precisely, on the dot (time)
puntuale punctual
purtroppo unfortunately

qua here
quadro picture
qual = quale
qualche some, a few, any
qualcosa something, anything
qualcuno someone, somebody
quale which?, which, that, who, whom
qualità quality
quando when
quantità quantity
quanto how much; (*pl.*) **quanti** how many

quarto fourth
quasi almost, nearly
quattordicesimo fourteenth
quello that; (*pl.*) those; (*other forms*): (*sing.*) **quel, quella, quell'**; (*pl.*) **quei, quegli, quelle**
questo this, this matter; (*pl.*) these
qui here; **qui vicino** nearby
quieto quiet, calm, peaceful
quindi therefore, then
quindicesimo fifteenth
quinto fifth

raccolta harvest
racconto story
radio (*f.*) radio
raffreddore (*m.*) cold (illness)
ragazza girl, young lady
ragazzo boy, young man
ragione (*f.*) reason; **aver ragione** to be right
rappresentare to represent
rattristare to sadden, to grieve
recipiente (*m.*) receptacle, vessel, container
recitare to recite
regalo present, gift
regione (*f.*) region
regola rule
rendere to render, to make
reputazione (*f.*) reputation
resistere to resist, to hold back
restare to remain, to stay, to be left over
riapparecchiare to reset
ricco rich
ricetta prescription
ricevimento reception
ricominciare to begin again
ricoperto: ricoperto di covered with
ricoprire to cover; (*p.p.* **ricoperto**)
ricordare to remember

ridere   to laugh
riduzione (f.)   reduction
riempire   to fill; riempito di   filled
   with
riferimento   reference
rifiutare   to refuse
riga   ruler
rimanere   to remain; (p.p.   rimasto)
rimprovero   scolding
rinfrescante   refreshing
ringraziare   to thank
ripetere   to repeat
riposo   rest
riso   rice
riso (p.p. of ridere)   laughed
risolvere   to solve
rispondere   to answer
risposta   answer
risposto (p.p. of rispondere)
   answered
ristorante (m.)   restaurant
ritardo   delay; in ritardo   late
ritornare   to return
ritorno   return; il biglietto di ritorno
   the return ticket; il biglietto di
   andata e ritorno   the round-trip
   ticket
riuscire   to succeed
riva   shore
roba   stuff, things
rompere   to break
rosso   red

sa (pres. of sapere)   he knows, etc.
sacco   sack
sai (pres. of sapere)   you know, etc.
sale (m.)   salt
saliera   saltshaker
salire   to go up, to come up, to
   climb
salotto   living room, parlor
salto   jump; salto alla corda   jumping rope, skipping rope

salute (f.)   health
saluto   greeting, salutation
salvo   safe; arrivare in salvo   to
   reach safety
San = Santo
sangue (m.)   blood
sanno (pres. of sapere)   they know
santo   saint; santo cielo!   good
   heavens!
sappiamo (pres. of sapere)   we know
sarà (fut. of essere) he shall be; (other
   forms): sarò, sarai, saremo, sarete,
   saranno
sazio   satiated, full
sbagliare   to make a mistake
sbaglio   mistake, error
sboccare   to empty
scacchi (m. pl.): giocare a scacchi
   to play chess
scegliere   to choose
scendere   to come down, to go down;
   (p.p. sceso)
scherzare   to jest, to joke, to "kid"
scherzo   jest, joke
schiaccianoci (m. sing. and pl.)
   nutcracker(s)
scienza   science
scodella   soup plate
sconosciuto   stranger
sconosciuto (adj.)   strange, unknown
scorrere   to flow, to run
scritto (p.p. of scrivere)   written
scrivania   desk
scrivere   to write
scuola   school
scusa   excuse
scusare   to excuse
se   if
sé   himself, herself, itself
secco   dry; la frutta secca   nuts
secondo   second; secondo qualcuno
   according to someone
sedere   to sit
sedicesimo   sixteenth

seduto seated
seggiovia chair-lift
seguente following, next
seguire to follow, to come next
seguito succession
sei six
sei (*pres. of* **essere**) you are
sembrare to seem, to appear
semestre (*m.*) semester
semplice simple; **un biglietto semplice** a one-way ticket
sempre always, all the time
sentire to hear, to feel
senza without
separare to separate
seppellire (-isc) to bury
sera evening
sereno calm, clear
serie (*f.*) series
serva maid, servant
servire to serve
sesto sixth
sette seven
settentrionale northern, north
settimana week
settimo seventh
severo severe, harsh
sezione (*f.*) section, part
sfida challenge
sfidare to challenge; **sfido io!** I should say so! and how!
sfortuna misfortune, bad luck, hard luck
sforzo effort
si himself, herself, itself, yourself; **si trova** it is located
sí yes
siccità drought
Sicilia Sicily
sicuro sure, certain
siedono (*pres. of* **sedere**) they are seated, they sit
siete (*pres. of* **essere**) you are

significare to mean, to signify
significato meaning
signora lady, Mrs., madam, woman
signore (*m.*) gentleman, Sir, Mr.
signorina young lady, Miss
Sila a lofty flatland in Calabria, site of vast reforestation and construction of dams
silenzio silence
singolare (*m.*) singular
sinistra left-hand, left-hand side; **a sinistra** on the left
sinonimo synonym
smettere to stop, to desist
so (*pres. of* **sapere**) I know
soffrire to suffer; (*p.p.* **sofferto**)
sole (*m.*) sun
solito usual; **come al solito** as usual; **di solito** usually
solo only, alone
soltanto only
sonno sleep
sono (*pres. of* **essere**) I am; they are; you (*pol. pl.*) are
sopportare to bear, to stand
sorella sister
sorgere to rise, to arise, to come forth
sostantivo substantive, noun
sotto under, below, beneath
sottovoce in a low voice, in an undertone, in a whisper
sparire (-isc) to disappear
speciale special
specialmente especially
spensierato carefree
spento extinct
speranza hope
sperare to hope
spesso often
spiaggia beach
spiegare to explain
spiegazione (*f.*) explanation
spina: spina dorsale spinal column

spiritoso witty
splendente bright, shining, resplendent
splendore (*m.*) splendor, brilliance
sporco dirty
spostamento displacement, change
squisito delicious
sta (*pres. of* **stare**) he is, etc.; (*other forms*): **sto, stai, stiamo, state, stanno**
stabilito established, set, appointed
stadio stadium
stamattina this morning
stanco tired, fatigued
stanotte tonight
stare to be; **stare bene** to be well; **stare male** to be sick; **stare meglio** to be better; **stare peggio** to be worse; **stare a letto** to be in bed; **stare zitti** to be silent
stasera this evening
stato state
stato (*p.p. of* **essere** *and* **stare**) been
stazione (*f.*) station
stendere to extend, to stretch, to spread
stesso same, himself; **lo stesso San Francesco** Saint Francis himself
stiamo (*pres. of* **stare**) we are
stivale (*m.*) boot
sto (*pres. of* **stare**) I am
storia story, history; **storiella** little story
storicamente historically
storiella little story
stradale (*adj.*) road; **pericolo stradale** road hazard
strano strange
straordinario unusual, extraordinary
stretto narrow, tight
studente student (*m.*)
studentessa student (*f.*)
studioso studious
su on, upon

subito immediately, right away
succedere to happen
successo (*p.p. of* **succedere**) happened
sud (*m.*) south
sufficiente sufficient
suffisso suffix
suggerire (**-isc**) to suggest
sul = **su** + **il** on the; (*similarly*): (*sing.*) **sull', sulla, sullo**; (*pl.*) **sugli, sui, sulle**
suo his, her, its, your; (*other forms*): **sua, sue, suoi**
suonare to play (instruments), to ring (bells)
superlativo superlative
sveglia alarm clock
svegliare to wake up, to awaken (someone else)
svegliarsi to wake up (oneself)
sviluppo development
Svizzera Switzerland

tagliare to cut
tale such; **tale cosa** such a thing
tanto (*adv.*) so, so much, as
tanto (*adj.*) so much; (*pl.*) so many
tardi (*adv.*) late
tardo (*adj.*) late; **a tarda ora** at a late hour
tavola table
tavolo table, worktable
tazza cup
te you, to you (*fam. sing.*)
tè (*m.*) tea
telefonare to telephone; **telefonare a qualcuno** to telephone someone
temere to fear, to be afraid of
tempo time, tense, weather
tenere to hold
tenore (*m.*) tenor
terminare to end
termometro thermometer
terra earth, land

terreno land, soil, ground
terrestre earthly, terrestrial
terzo third
ti you, to you (*fam. sing.*)
timido timid, shy
tirare to pull; **tira vento** the wind
  is blowing
toccare to touch
tormentare to annoy, to torment,
  to vex
tormento torment, vexation
tornare to return
torre (*f.*) tower
torta cake
tortuoso winding, crooked
tovaglia tablecloth
tovagliolo napkin
tra = fra
tragitto trip, journey
trasformare to transform
tre three
tredicesimo thirteenth
treno train; **andare in treno** to go
  by train
tribuna speaker's platform
triste sad, sorrowful
troppo (*adj.*) too much; (*pl.*) too
  many
troppo (*adv.*) too, too much
trovare to find
trovarsi to be, to be located
tu you (*fam. sing.*)
tuo your; (*other forms*): **tua, tuoi,**
  tue
turismo tourism
turista (*m. and f.*) tourist
tutto (*adj.*) all, entire
tutto (*adv.*) entirely, completely
tutto (*pron.*) everything; (*pl.*) all,
  everyone, everybody; **tutti e due**
  both; **tutti e tre** the three of
  them, all three

uccello bird
ufficio office
ultimamente lately
ultimo last; **l'ultimo** the last one
un a, an, one; (*other forms*): **una,**
  un', uno
undicesimo eleventh
undici eleven
uomo man; (*pl.*) **uomini**
uscire to go out, to come out
uscita exit
uso use

va (*pres. of* andare) he goes, etc.;
  va bene! very well!; **come va che?**
  how is it that?; (*other forms*): **vai,**
  vanno
vado (*pres. of* andare) I go, etc.
valigia suitcase
valle (*f.*) valley
vario various; (*pl.*) several
vasellame (*m.*) crockery, dinnerware
vecchio old
vedere to see
vedrò (*fut. of* vedere) I shall see;
  (*other forms*): **vedrai, vedrà,**
  vedremo, vedrete, vedranno
veduta sight, view
vena vein
vendere to sell
venire to come
ventesimo twentieth
venticinquesimo twenty-fifth
ventiduesimo twenty-second
ventiseesimo twenty-sixth
ventitreesimo twenty-third
vento wind
ventunesimo twenty-first
venturo coming, next
veramente truly, really

verbo verb
verità truth
vero true, real
verso (*adv.*) toward, about
verso verse
veste (*f.*) dress
vetta summit, top
vi = ci there
vi you, yourselves
via (*adv.*) away; **andare via** to go away
via road, way
viaggiare to travel
vicino near; **qui vicino** nearby
villaggio village, town
vincere to win
vino wine
violino violin
visita visit; **fare una visita** to pay a visit; **la visita medica** the medical examination

visitare to visit
vita life
vo = vado
vocabolo word
voce (*f.*) voice; **ad alta voce** in a loud voice
voi you (*fam. pl.*)
volante (*m.*) steering wheel
volare to fly
volta time; **un'altra volta** one more time, once more
vulcanico volcanic

zia aunt
zuccheriera sugar bowl
zucchero sugar
zuccone (*m.*) dumbbell (*literally*, big pumpkin)